PSICANÁLISE
E CIÊNCIA

Blucher

PSICANÁLISE E CIÊNCIA

Um debate necessário

Paulo Beer

Psicanálise e ciência: um debate necessário
© 2017 Paulo Beer
Editora Edgard Blücher Ltda.
Imagem da capa: iStockphoto

1ª reimpressão - 2022

Para Francisco (in memorian),
que tanta falta faz.

Para Luiza e Tereza,
que não me deixam me perder em mim
mesmo.

Blucher

Rua Pedroso Alvarenga, 1245, 4º andar
04531-934 – São Paulo – SP – Brasil
Tel.: 55 11 3078-5366
contato@blucher.com.br
www.blucher.com.br

Segundo o Novo Acordo Ortográfico, conforme
5. ed. do *Vocabulário Ortográfico da Língua*
Portuguesa, Academia Brasileira de Letras,
março de 2009.

É proibida a reprodução total ou parcial por
quaisquer meios sem autorização escrita da
editora.

Todos os direitos reservados pela Editora Edgard
Blücher Ltda.

Dados Internacionais de Catalogação na Publicação (CIP)
Angélica Ilacqua CRB-8/7057

Beer, Paulo
    Psicanálise e ciência : um debate necessário /
Paulo Beer. — São Paulo : Blucher, 2017.

    208 p. (Série Psicanálise Contemporânea / Flávio
Ferraz, coord.)

    Bibliografia
    ISBN 978-85-212-1182-2

    1. Psicanálise 2. Ciência 3. Psicanálise – Filosofia
4. Ciência e psicologia I. Título.

17-0514   CDD 150.195

Índices para catálogo sistemático:
1. Psicanálise

Agradecimentos

Agradeço a Nelson da Silva Junior pela ajuda, pelo apoio e, acima de tudo, pela troca.

A Christian Dunker e Mario Eduardo Costa Pereira pela leitura atenta e pelos importantes apontamentos. A Jean-Luc Gaspard, Alain Abelhauser e Monique David-Ménard pelo incentivo e pelas valiosas sugestões.

A Hugo Lana, Pedro Ambra, Rafael Alves Lima, Diego Penha e Paulo Sérgio de Souza Jr., amigos e colegas, por todas as conversas, contribuições, trocas e projetos. A Wilson Franco, parceiro de tantas viagens, agradeço a leitura atenta e as discordâncias tão concordantes. A Beatriz Santos, amiga que divide comigo projetos tão caros.

A todos os colegas do grupo de orientação e aos membros do Laboratório de Teoria Social, Filosofia e Psicanálise (Latesfip), obrigado! A Daniele Sanches e Maria Letícia Reis pelo apoio constante durante o trabalho. A Marcelo Checchia e Du Moreira, que tanto influenciaram na motivação de escrever este livro. A Radmila Zygouris e Michel Plon, que nunca deixam a clínica se perder. A Caterina Koltai, por toda ajuda.

Aos amigos e colegas que dividiram comigo esse processo. Entre tantos, especialmente a Rodrigo Alencar, Isabel Tatit, Natalie Mas, João Paulo Paiva, Anna Turriani, Nina Belloni, Dulce Coppedê, Clarice Paulon, João Felipe Domiciano, Lucas Bulamah, Leandro Durand, Carolina Colombo, Karina Bueno, Gabriela Berna, Gabriela Villas, Silvia Bertoncello, Martin Charlone, Vitor Guedes, Gabriel Vaz e Lucas Sessa, obrigado! Agradeço também àqueles que dividem esse caminho de inquietações comigo há tanto tempo: Marcelo Noffs, Yuri Azeredo, Alan Osmo, Fábio Carezzato, Pedro Seincman, Francisco Haddad (*in memorian*), José Pedro Neves, Gabriela Pimenta, Gustavo Vellutini, Vitória Cohn, André Gaiarsa, Rodrigo Pacheco, Pedro Ferronato, Pedro Trindade e Nina Simões.

Às minhas irmãs, Andrea e Marina, por sempre esperarem algo bom. A André e Guilherme, pela presença interessada.

Aos meus pais, Maria Lucia e Raul, por me ensinarem o valor de pensar, o valor de escutar, a importância de falar.

A Luiza, que divide isso tudo comigo.

Obrigado.

Agradeço à FAPESP (processos 2012/25222-3 e 2014/02382-0) pelo apoio na realização da pesquisa.

Prefácio

Antes de mais nada, um aviso ao leitor e navegante: o sentido do livro que tem nas mãos vai muito além de uma simples "atualização" sobre o tema *psicanálise e ciência*. Trata-se, sobretudo, de recolocar em movimento uma discussão que tende a encalhar em torno dos mesmos impasses há várias décadas. Mas quais seriam, precisamente, os encalhes desse debate?

Vários e provenientes de ambos os pontos de partida do dito "debate", a saber: tanto das margens psicanalíticas quanto das margens das ciências. Por exemplo, a partir da margem científica, temos o encalhe enraizado, mas impreciso, da crítica de Popper à psicanálise como uma teoria que não forneceria critérios de refutabilidade. Já a partir das margens psicanalíticas, temos um outro encalhe presente em praticamente todas as linhas e escolas de psicanálise, mas, de algum modo, mais claramente explicitado pela tradição lacaniana. Assim, um lacaniano bem conhecido, Joël Dor, afirma que toda e qualquer abordagem científica necessariamente exclui o sujeito do inconsciente e, portanto, inviabiliza a clínica psicanalítica. Em outras palavras, *algo* na psicanálise é inapreensível pelas ciências naturais, o que impossibilita o debate.

E, contudo – sempre há um *contudo* –, como demonstra Paulo Beer, hoje esse debate se dá em campos extremamente mais complexos e de modo muito menos maniqueísta do que se crê normalmente. Esta é a questão fundamental abordada neste livro: ambas as margens desta difícil travessia também se moveram, ou seja, tanto a psicanálise como aquilo que se entende hoje por ciência sofreram mudanças profundas, de modo que não temos mais os mesmos problemas nesse confronto. Este é, certamente, o principal mérito deste pequeno e essencial livro: dissolver o efeito de cristalização que paralisou o debate – não tanto ao apresentar as respostas que o momento atual trouxe às antigas questões, mas ao demonstrar que as antigas questões de fato envelheceram para os dois campos em jogo e que foram substituídas por novas. Talvez não seja nem precipitado nem otimista demais afirmar que, de um momento no qual a principal questão era afirmar a especificidade e a legitimidade da psicanálise diante da ciência, passamos para um momento em que se trata de colocar em trabalho a heterogeneidade dos dois campos.

Três discussões são, assim, apresentadas pelo autor, demonstrando que o debate entre psicanálise e ciência tem sido organizado por pressupostos no mínimo obsoletos. Cada uma dessas questões pode ser considerada em sua própria unidade e, eventualmente, avaliada e comentada em separado. Tais discussões são, primeiramente, a relação da psicanálise com a ciência, considerada a partir do ponto de vista dos psicanalistas. Em segundo lugar, a atualização da natureza de uma teoria científica no interior dos debates epistemológicos. Em seguida, a descrição do famoso debate entre o grande crítico da psicanálise na epistemologia atual, Adolf Grünbaum, e o psicanalista Shevrin, que por mais de vinte anos procurou refutar as teses do primeiro com experimentos empíricos. Em sua conclusão, Paulo Beer reabre a discussão da relação entre psicanálise e ciência a partir do nominalismo dinâmico do filósofo da ciência Ian Hacking.

O resultado de cada uma dessas partes é uma interessantíssima discussão – mas é a articulação de seu conjunto que representa, a meu ver, o principal mérito deste trabalho, pois só assim aparece seu principal resultado, a saber, a abertura e a proposição de um campo de pesquisas, *a filosofia da ciência da psicanálise*, como propõe o autor em suas palavras finais. Vejamos esse percurso em algum detalhe.

Primeiramente, a retomada da discussão com a ciência a partir da psicanálise, fundamentalmente daquela de tradição lacaniana, demonstrando que, no próprio texto de Lacan, não se encontra uma separação radical e uma incompatibilidade entre o pensamento psicanalítico e o pensamento científico. Trabalhando sobre dois momentos da obra do autor, Paulo Beer retoma a centralidade do tema da ciência no pensamento do psicanalista francês e demonstra que as diferenças entre esses dois campos são bem menos radicais do que em seus comentadores, como em Joël Dor. Estes dois momentos são *o saber e a verdade* e *a teoria dos discursos*. Ora, de modo pertinente, Paulo Beer recoloca em discussão alguns "dogmas" da literatura lacaniana sobre a ciência, a saber, que a ciência forclui a verdade e que desta ela nada quer saber. Com uma cuidadosa releitura do texto *A ciência e a verdade*, de Lacan, Beer atenua definitivamente a radicalidade dessa fórmula, retomada e propagada sem crítica pelos comentadores. No texto lacaniano, desde que bem lido, a verdade como causa material não é apresentada como inacessível à ciência, apenas como uma negligência desta...

De fato – façamos aqui um "excurso" incluído no debate aberto por Paulo Beer –, se um certo campo das causas em psicanálise dificilmente poderá se tornar objeto de uma investigação científica – por exemplo, o desejo e a verdade como experiências norteadoras de uma análise –, um outro campo de causas pode ser verificável e demonstrável pela metodologia da ciência – como aquele das determinações inconscientes pelas relações lógicas e aquele (aqui discutido) da causalidade do significante, a eficácia causal da forma das

10 PREFÁCIO

palavras. Lacan chamaria essa modalidade de causalidade das palavras, colocada especificamente em jogo pela psicanálise, de *motérialité*. Ao que visa este neologismo?

Antes de mais nada, visa a um efeito de sentido, como um chiste. Em francês, *mot* significa *palavra*, o que permite um efeito de sentido ao substituir o radical *mat* da palavra *matérialité*. *Motérialité* indica, assim, uma certa causalidade material das palavras, isolada pela experiência psicanalítica. Retomemos a discussão implicada nesse neologismo de Lacan.

Saussure, fundador da linguística estrutural, propõe uma definição do signo como composto por dois elementos: o significante (S) e o significado (s). Propõe, igualmente, uma forma específica de relação entre estes por meio do algoritmo S/s, no qual a união entre o significante e o significado seria arbitrária em si mesma, sustentada como tal, ao longo do tempo, apenas pelo uso de uma comunidade de falantes de uma língua. Partindo da linguística de Saussure, Lacan propõe, inicialmente, uma radicalização dessa separação entre significante e significado, sublinhando a presença da barra no algoritmo do linguista. Para Lacan, a barra marca o hiato entre significante e significado, já introduzido pela noção de arbitrariedade do signo em Saussure. Em seguida, outra alteração é introduzida por ele, ao remover do algoritmo o elemento *significado*, substituindo-o por outro *significante* (S'). Da estrutura do signo proposta por Saussure (S/s), Lacan exclui o significado como um elemento irredutível. Assim, temos no algoritmo lacaniano (S/S'), uma segunda radicalização na compreensão do signo. Significante e significado passam a ser pensados, na lógica lacaniana, sob uma nova chave, a da causalidade: o significante será considerado como causa, enquanto o significado, como efeito. Se em Saussure o significante é o substrato material do signo, em Lacan este se tornará sua causa material, donde o neologismo *motérialité*.

Retomemos, após este pequeno parênteses, o argumento do autor: se, no primeiro texto, uma leitura rigorosa, como o autor propõe, demonstra que Lacan estava longe de pensar a ciência e a psicanálise como mutuamente excludentes, sua análise da teoria dos discursos mostrará toda a sutileza do psicanalista francês ao evitar formular um só discurso da ciência e ao tomar o cuidado de localizá-lo em outros três discursos: o do *mestre*, quando a ciência funciona como ideologia, o da *universidade*, no qual a ciência funciona como instituição, e o da *histeria*, em que a ciência funciona como pesquisa.

Ao tomar a teoria dos discursos em sua função primeira, aquela de descrição das modalidades de laço social e, portanto, de regulação do gozo, a grande questão será, portanto, compatibilizar o discurso do analista com uma das formas do discurso da ciência. Paulo Beer aposta, aqui, na *não incompatibilidade* entre a clínica psicanalítica e uma abordagem científica de sua teoria. A *não incompatibilidade* não significa *compatibilidade total*, evidentemente, mas sublinha possibilidades de articulação e, portanto, de eventuais colaborações mútuas entre a experiência psicanalítica e a abordagem científica de processos psíquicos.

É nesse sentido que a segunda discussão apresentada, uma considerável parte deste livro, é dedicada às tensões internas da epistemologia, ela própria. O paradigma no qual a não cientificidade da psicanálise (diferente de sua a-cientificidade, promovida por Joël Dor) foi decretada por Popper há muito não está vigente no próprio âmbito da epistemologia. Aqui, o leitor tem a oportunidade de acompanhar de modo simples, mas rigoroso, as diferentes posições nesse debate de autores de importância, como Koyré, Gilles-Gaston Granger, Thomas Kuhn e Feyerabend, autores nos quais a sentença de Popper não tem mais lugar. Isso não apenas em função de sua imprecisão com relação à sentenciada psicanálise, que muitas vezes demonstrou seguir critérios de refutabilidade em suas construções teóricas, mas, sobretudo, porque esse critério não vale mais como a marca que separaria as teorias científicas das não científicas.

É particularmente do ponto de vista de Thomas Kuhn – a partir do qual a cientificidade de uma teoria depende muito mais de sua aceitação como um paradigma pela comunidade científica do que por sua capacidade de dar azo a eventuais contraprovas de suas hipóteses em experimentos controlados – que a sentença de Popper se vê "suspensa". Na perspectiva desse autor, a psicanálise seria muito mais próxima do que ele chamou de anomalias de um paradigma científico do que propriamente um caso de teoria não científica. Pouco a pouco, o leitor vai se apercebendo da natureza idealizada do kantismo espontâneo, no qual grande parte das discussões sobre a cientificidade da psicanálise tem naufragado.

Em sua terceira discussão, Paulo Beer retoma e expõe as linhas gerais de um longo debate entre Shevrin e Grünbaum a respeito da cientificidade da psicanálise. Trata-se da construção de um experimento extraclínico que demonstre nada mais nada menos que a pertinência do conceito de repressão e, portanto, aquele de inconsciente dinâmico, em termos freudianos. Este foi, com efeito, o conceito mais criticado por Grünbaum, naquilo que lhe parece funcionar segundo uma estrutura tautológica na retórica da clínica psicanalítica – algo como o conhecido *"heads I win, tails you lose"* que o próprio Freud evocou como uma das críticas que sua teoria recebeu. Sem entrar, aqui, nos detalhes – expostos com clareza neste livro –, o fato é que Shevrin conseguiu construir um experimento e demonstrar diferenças detectáveis de ondas cerebrais que só poderiam ser explicadas pelo conceito freudiano de repressão. Cabe, contudo, retomar o debate em seu nível epistemológico. De fato, quais seriam as implicações dessa discussão no debate – mais precisamente no debate filosófico que no epistemológico – entre ciência e psicanálise? Seriam os antigos encalhes ainda incontornáveis?

É visando esta última discussão que encontramos em Paulo Beer uma sóbria retomada e avaliação da pertinência das principais críticas mútuas em curso no momento atual, quando ele entra em diálogo com outros autores importantes do território nacional, como Monah Winograd e Richard Simanke, entre outros. A conclusão é surpreendente em sua simplicidade. Segundo o autor:

> *a ideia de que a ciência exclui necessariamente o sujeito só parece se sustentar se baseada numa concepção bastante datada de ciência, e tanto desenvolvimentos posteriores em filosofia da ciência como experimentos específicos na articulação entre neurociências e psicanálise demonstram a não procedência dessa ideia. (p. 171)*

A articulação profícua dos dois métodos, o da clínica psicanalítica e o das ciências "duras", já não pode ser considerada um tabu, cuja transgressão seria penalizada pelo banimento do transgressor, seja do campo psicanalítico, seja do campo científico.

O experimento de Shevrin, por exemplo, só é realizável a partir de uma articulação deste tipo: o material de base só pode ser retirado de uma clínica psicanalítica e os resultados neurofisiológicos só podem ser obtidos dentro do quadro de experimentação em laboratório. Esse fato, reforça Paulo Beer, tem uma suma importância no modo como entendemos a experimentação, discussão para a qual ele retoma uma das principais ideias de Ian Hacking, a saber, "o fato de podermos estabelecer a existência de entidades não diretamente observáveis a partir da ciência experimental" (p. 175). Este foi, precisamente, o caso do experimento de Shevrin, cujos dados não "mostram" a repressão enquanto tal, mas só podem ser explicados com o uso deste conceito psicanalítico.

Trata-se de um caso análogo ao da experimentação com partículas subatômicas, em que a ciência propõe representações de um elemento da realidade cuja prova de existência depende da manipulação e da interferência do pesquisador nesta mesma realidade. No paradigma kantiano/popperiano espontâneo de nossos clichês sobre a ciência, o fato de a representação estar atrelada a uma intervenção da realidade invalidaria essa representação, que seria descartada como fruto de uma manipulação que enviesaria a pureza dos dados obtidos. Na concepção de Hacking, no entanto, se um conceito está atrelado a uma manipulação efetiva da realidade, então sua existência pode ser considerada como comprovada.

Em outras palavras, a questão da existência se torna parcialmente dependente da linguagem. Esta é uma das principais mudanças dos parâmetros de cientificidade propostas por esse autor, respeitado tanto em ciências naturais como em ciências humanas. Com efeito, na epistemologia tradicional, o *ser* das coisas jamais é dependente do *dizê-lo*, já que a linguagem seria secundária e posterior ao *ser*. O que Hacking propõe, em última instância, é uma alteração na hierarquia desta relação, afirmando que algumas coisas só existem a partir de nosso *dizer* e, principalmente, do nosso *fazer*. Não por acaso, Paulo Beer aponta, na conclusão de seu livro, o tema da *sofística*, retomado pela helenista francesa Barbara Cassin como um dos caminhos interessantes para a continuidade deste instigante debate.

Nelson da Silva Junior
Professor livre-docente do Instituto de Psicologia
da Universidade de São Paulo (IPUSP).

Conteúdo

Introdução	17
1. A ciência na psicanálise: evitando equívocos	51
2. Um trajeto na ciência	103
3. A validação experimental	131
Conclusão	189
Referências	199

Introdução

A relação da psicanálise com a ciência é um tema pertinente desde a emergência da psicanálise como uma prática clínica. Mais que isso, pode-se ver que se trata de um tema tão pertinente quanto complexo, se olharmos, por exemplo, para um certo desconforto de Freud com o fato de que seus escritos, muitas vezes, pareciam aproximar-se mais de romances do que de textos científicos, a despeito de seu claro posicionamento de que a psicanálise seria, sem dúvida, uma ciência (Freud, 1895/2016). Segundo o psicanalista, esse fato devia-se exclusivamente à natureza de seu objeto, que demandava uma abordagem um pouco distinta, ao menos em um primeiro momento.

É notável o fato de que tal discussão tenha permeado mais de um século de produções sem perder o vigor, de modo que se coloca como uma questão importante tanto para a psicanálise como para áreas afins, como a psicopatologia, a saúde mental, a psiquiatria etc. Vemos que um caráter enigmático continua a ser percebido nesse campo, o que não significa que não devamos considerar os avanços que foram realizados, muito pelo contrário. Mais que isso,

18 INTRODUÇÃO

é necessário reconhecer que o interesse por esse tema não parte mais do mesmo lugar do qual partia anteriormente, de modo que – junto com os desenvolvimentos já estabelecidos – é necessário, também, que nos atentemos a quais interesses estão colocados ao se discutir essa relação hoje.

Nesse sentido, já é possível estabelecer um traço deste livro, no qual nossa opção de encaminhamento é construída a partir da convergência de um campo de interesse e – por que não? – uma posição política. Tal opção se fez necessária de modo tão radical frente à amplitude do campo em que estamos adentrando, no qual uma infinidade de questões poderia ser tema de uma discussão bastante longa e produtiva. Por exemplo, a questão da cientificidade em Freud seria, em si, mote para um extenso trabalho. O mesmo poderia ser indicado em relação a outros autores, como Lacan, Bion, entre outros. Para além disso, um estudo pormenorizado de alguns críticos também seria motivo suficiente para uma pesquisa, como as bases da crítica de Popper ou então as reflexões de Granger acerca das condições necessárias para a consideração de uma disciplina enquanto ciência – e a inclusão (ou não) da psicanálise neste grupo. Esses e muitos outros são temas possíveis, interessantes e pertinentes; contudo, já colocamos de antemão que nosso foco será outro.

É importante, portanto, indicar que nossa discussão será dirigida para *o cenário atual da relação entre ciência e psicanálise*; mais especificamente, para *as possibilidades de diálogo e intersecção entre os dois campos* – se é que podemos afirmar, de fato, que se tratam de dois campos. Isso não significa que iremos ignorar a história desse debate, tampouco cair no engano de considerar a atualidade como algo independente de seus antecedentes; recorreremos, todavia, a debates anteriores em momentos pontuais, nos quais esse movimento se mostre incontornável. Trata-se, desse modo, de uma espécie de economia laboral, talvez até um tanto minimalista, na qual a opção por nada a mais do que o necessário – de tudo aquilo que não incide diretamente na discussão que queremos estabelecer – tem como objetivo a potencialização disso que queremos tratar.

Não é raro, como vemos em diferentes obras que se debruçam sobre o mesmo tema, que outras questões acabem ganhando destaque e se sobrepondo a este que consideramos como tema principal. Isso indica, acima de tudo, a riqueza presente nas discussões realizadas, que envolvem categorias e conceitos que, em si, já justificam obras inteiras. Em alguns momentos, contudo, realizaremos uma espécie de violência, com a interrupção de determinados temas que ficarão aquém de suas possibilidades de desenvolvimento – mas sempre com o intuito de não perdermos o foco disso que indicamos como o núcleo de nossa discussão. Isso não significa, porém, que ignoraremos questões centrais. Permitam-nos um pequeno excurso figurativo.

Em provas de ciclismo, especialmente nas que são constituídas de várias etapas (como os célebres Tour de France, Giro d'Italia e Vuelta a España), existe uma estratégia sempre presente: cada equipe elege um capitão – usualmente, o ciclista que tem melhor desempenho nas diversas situações contidas no conjunto da prova –, que será o principal competidor pelo maior prêmio, dado ao atleta que tem a menor somatória de tempos após a conclusão de todas as etapas. Os outros ciclistas são os chamados "gregários", que ficam responsáveis por ajudar o capitão a alcançar esse objetivo. Para isso, zelam tanto por sua proteção (afastando-o de situações possivelmente perigosas) como também adotam uma tática específica, posicionando-se à frente dele para diminuir a resistência do vento, de modo que ele possa pedalar com menos esforço durante a maior parte do tempo – guardando, assim, sua energia para os momentos decisivos.

Este excurso ciclístico tem, aqui, uma função comparativa, que diz respeito à estratégia escolhida para a abordagem da relação entre

20 INTRODUÇÃO

psicanálise e ciência. Isso porque, no decorrer da pesquisa, há diversas questões que – embora possam parecer um tanto laterais –, se mal trabalhadas, contêm um grande poder desestabilizador do debate, de modo que este acaba sendo prematuramente reduzido – como um capitão que, sem apoio, tem seu potencial limitado a um lugar de coadjuvante, privando o evento de belíssimas disputas. Desse modo, uma vez que elegemos como nosso capitão *as possibilidades de intersecção entre psicanálise e ciência*, faremos uso de algumas discussões "gregárias", que terão como meta a proteção contra eventuais quedas e acidentes, assim como embalar a discussão principal. Isso significa, no limite, que certas problemáticas não serão desenvolvidas em todo seu potencial, e muito menos resolvidas: estarão aqui presentes de modo estratégico, para que nosso tema possa ser trabalhado com certa tranquilidade e, claro, fôlego.

Pois bem, já foi indicada, como nosso ponto central, *a relação atual da psicanálise com a ciência*, com especial atenção às *possibilidades de diálogo e interse*ção entre os dois campos. Isso significa, especialmente, uma tentativa de atualização do debate, buscando-se tanto as ideias em vigor no lado da filosofia da ciência como teorias atuais na psicanálise.

A escolha por tratar esse tema desse modo e neste momento passa por diversos lugares. Não se trata de uma motivação única, mas, sim, da confluência de alguns pontos de inegável relevância. O primeiro diz respeito ao peso de que a questão da cientificidade parece gozar na atual organização do debate a respeito da escolha de tratamento em políticas públicas em saúde mental, além do respaldo que traz à legitimação de práticas interventivas nesse campo de um modo geral – não somente em suas incidências públicas. Nesse sentido, trabalhar esse tema nos parece uma questão estratégica, pois se mostra imprescindível como um ponto de sustentação necessário à presença da psicanálise nesses debates.

Psicanálise, ciência e saúde mental

Recentemente, esse tema voltou a ser o protagonista de acaloradas discussões, inclusive no Brasil. Isso se deve especialmente a decisões acerca dos modos de tratamento que devem (ou não) ser empregados nos serviços públicos de saúde mental (Hans, 2000 Kupfer, 2013); questões que indicam como argumento central a necessidade de se priorizar tratamentos que tenham suas bases teóricas e terapêuticas comprovadas cientificamente, de modo que certas linhas terapêuticas seriam mais apropriadas do que a psicanálise, por dificuldades de se determinar a cientificidade desta. Vê-se, contudo, que se isso aparece no âmbito das políticas públicas brasileiras nos últimos anos, trata-se de um processo muito mais antigo de ruptura do pensamento psiquiátrico com uma soberania histórica da psicanálise, partindo-se da necessidade do estabelecimento de uma língua geral com a qual profissionais de diferentes lugares e práticas pudessem se comunicar e comparar suas clínicas e pesquisas. Esse movimento foi liderado pela Associação Americana de Psiquiatria, com a produção de seu Manual Diagnóstico Estatístico (DSM). Como nos diz Pereira,

> O "ateorismo" proclamado por esse tipo de classificação responde, antes de tudo, à necessidade de se contornar essa questão espinhosa de uma forma pragmática, deixando-se de lado as "querelas de escola". A escolha do termo "Transtorno" (disorder) para designar a maior parte das categorias diagnósticas do DSM-III e sucedâneos exemplifica bem a natureza desse esforço. A designação disorder não confere nenhuma especificidade ao quadro clínico que ela nomeia, mas preenche uma função que se pode chamar "retórica", necessária ao bom funcionamento do sistema: não se trata de conceber

22   INTRODUÇÃO

> uma "doença", no sentido médico do termo, onde uma
> etiologia orgânica explicaria as alterações observadas.
> Busca-se, portanto, tratar dos problemas nosográficos,
> deixando-se, metodologicamente, de lado os questiona-
> mentos etiológicos e privilegiando-se a descrição empí-
> rica dos quadros. (Pereira, 1996, p. 48)

Contudo, vê-se que, em diferentes momentos, esse projeto aca-
bou por ter como resultado, mais que a separação entre psicanálise
e psiquiatria, um movimento de hegemonização de uma psiquiatria biologizante:

> As implicações filosóficas, éticas e epistemológicas do
> DSM não são assumidas explicitamente e o centro da pro-
> blemática é deslocado para o campo genérico da funda-
> mentação das ciências biológicas. O que nos interessa é
> esse rompimento do nexo com os discursos psicanalíti-
> co e social, que faziam a patologia mental depender dos
> modos de subjetivação e socialização em curso, em um
> dado regime de racionalidade. (Dunker & Kyrillos, 2011,
> p. 619)

Essa ruptura pode ser pensada tanto como uma abertura a outras razões diagnósticas e clínicas quanto como fruto de debates
epistemológicos que fossem capazes de delimitar solidamente métodos mais apropriados de tratamento e investigação clínica; contudo, esse não foi sempre o caso. Se ideais de cientificidade são evo-
cados nessa disputa, um exame mais cuidadoso demonstra uma
extrema fragilidade na estruturação desses argumentos, de modo
que se encontram aproximações tanto a escolas já há muito desti-
tuídas de uma unanimidade epistemológica da qual já gozaram

(como o empirismo lógico) quanto a filiações inconsistentes com escolas atuais.[1] Em suma, tem-se, de fato, a defesa de uma clínica que evita assumir o caráter político de suas posições, eclipsadas atrás de um "compromisso prático" (Pereira, 2000) e de um ideal plástico e inconsistente de ciência.

Entretanto, deve-se notar que, de alguma maneira, os próprios participantes da constituição do DSM expressaram preocupação com esses atravessamentos ideológicos e chegaram até, em alguns momentos, a se posicionar contrários a algumas possibilidades de reificação diagnóstica. Isso se dá, em parte, pela influência de um consistente grupo inglês de psiquiatras que tomou como problema central a relação da psiquiatria com a filosofia, postulando – contra a repetida "medicina baseada em evidências" (até então, grande norteadora do DSM) – uma "psiquiatria baseada em valores", que teria como objetivo uma maior delimitação dos atravessamentos ideológicos presentes nas decisões clínicas, assim como na própria constituição das pesquisas e experimentos que servem como base para essas decisões.

Esse grupo, liderado por John Sadler e Bill Fulford (entre outros) e guarnecido por uma coleção de peso da Oxford University Press, parece ter ganhado notável relevância nos debates que constituem a elaboração das novas versões do DSM, como foi possível reconhecer, por exemplo, na não inclusão da categoria de "síndrome psicótica atenuada" frente aos possíveis efeitos de reificação e de hipertrofia diagnóstica (Gonçalves, Dantas, & Banzato, 2015)[2] no momento de elaboração do DSM-V. Isso não significa, contudo, que o predicado *científico* deixe de ter valor, muito pelo contrário.

---

1 Conferir Balat (2000).

2 Este episódio será apenas referido, pois uma leitura mais aprofundada demandaria um desvio de nosso caminho. No entanto, para aqueles que se interessarem, recomendamos o excelente artigo "Valores conflitantes na produção do DSM-5: o 'caso' da síndrome psicótica atenuada" (Gonçalves et al., 2015).

A única diferença é que se teria uma visão menos idealizada do conhecimento científico em si, mas este continua a ter papel fundamental nas discussões.

No entanto, esse cenário de referência a um horizonte de legitimação biológica, mas com uma possibilidade de abertura, não é mais homogêneo, e o que parecia ruim agora se mostra potencialmente pior. Pode-se reconhecer uma ruptura que estaria acontecendo atualmente dentro da própria cultura norte-americana, a partir de uma oposição entre a Associação Americana de Psiquiatria (APA) e o Instituto Nacional de Saúde Mental (National Institute of Mental Health – NIMH). No mesmo período da publicação da quinta versão do DSM, o NIMH colocou-se em franca oposição ao modo como o manual fora construído, acusando-o de não ser científico e dizendo que "os pacientes merecem mais". Segundo o diretor do instituto, Thomas Insel,

> *Sua fraqueza é sua falta de validade. Diferente de nossas definições de doença cardíaca isquêmica, linfoma ou AIDS, os diagnósticos do DSM são baseados em um consenso sobre agrupamentos de sintomas clínicos e não em alguma medida laboratorial objetiva. No resto da medicina, isso seria equivalente a criar sistemas diagnósticos baseados na natureza da dor no peito, ou na qualidade da febre. De fato, diagnósticos baseados em sintomas, que já foram muito comuns em outras áreas da medicina, têm sido largamente substituídos nos últimos cinquenta anos, a partir do entendimento de que somente o sintoma raramente indica a melhor escolha de tratamento.*
>
> *Pacientes com transtornos mentais merecem mais que isso. O Instituto Nacional de Saúde Mental (NIMH) lançou o projeto Research Domain Criteria (RDoC) para*

transformar o diagnóstico ao incorporar genética, imagens, ciência cognitiva e outros níveis de informação para estabelecer as fundações para um novo sistema classificatório. (Insel, 2013, tradução nossa)

É curioso o fato de que algumas das críticas realizadas ao DSM – por exemplo, à falta da consideração da causalidade na construção diagnóstica – estejam contempladas nesse posicionamento. Contudo, é claro que a resposta encontrada leva ao extremo uma lógica em profunda contradição com a psicanálise, ao indicar que a causalidade deve ser procurada unicamente enquanto fator biológico. Desse modo, além de se reforçar uma visão bastante singular de ciência, na qual a validade de uma teoria só pode ser comprovada experimentalmente a partir do reconhecimento de fatos empíricos e observáveis em condições rigidamente determinadas, também existe uma concepção de homem e de sujeito sendo estabelecida, na qual seu sofrimento seria resultado de processos cuja causalidade deve ser sempre procurada em fatores biológicos.

Após este comentário, é possível indicar com mais clareza o papel desse processo em nosso livro. Explicitamos que não temos a psiquiatria como objeto, nem sua relação com a psicanálise, tampouco um estudo aprofundado das bases que se desenharam ou que estão se desenhando nesse campo. O que nos interessa aqui é justamente a compreensão de que uma participação efetiva neste campo, denominado científico, é incontornável caso tenhamos qualquer pretensão de que a psicanálise continue a ter seu lugar de clínica e teoria legítimas preservado. Trata-se, portanto, de um interesse majoritariamente político. Como indica Hans:

No atual momento, recusar-se a participar do debate, nos moldes em que é proposto na Comunidade Europeia e nos Estados Unidos, pode significar ficar impossibilitado

26 INTRODUÇÃO

> *de continuar a exercer a profissão, ou pelo menos de ficar restrito a um lugar marginal que atualmente não tem mais o caráter romântico e transgressor das décadas passadas (no Brasil parece que haverá mais espaço por algum tempo). Por outro lado, enquadrar-se no debate pode implicar perder o contato com o que é essencial nas psicoterapias psicodinâmicas, a subjetividade e a singularidade (por natureza avessas à normatização e à regulação). Colocadas as alternativas deste modo, rejeitar o formato científico hegemônico e bancar a condição de marginalidade, parece ser para muitos uma imposição de cunho ético, ideológico e uma reafirmação na natureza distinta das práticas psicodinâmicas e da psicanálise. (Hans, 2000, p. 184)*

O que propomos é um exame cuidadoso sobre as possibilidades de enfrentamento desse debate no campo epistemológico sem, contudo, abrir mão de premissas éticas da psicanálise, como a recusa ao apagamento da subjetividade ou a distância tomada com possibilidades de se cair em uma prática moralizante. Debater nesse campo não significa, necessariamente, uma sujeição a determinados modos de se fazer e entender ciência, tampouco concessões de princípios éticos essenciais aos psicanalistas (isto será desenvolvido com mais detalhes no Capítulo 3). Limitamo-nos, neste momento, a indicar a importância de que a psicanálise se faça presente nessas discussões e de que possa se posicionar de modo a ser escutada. A nosso ver, certas recusas a um debate mais aprofundado nesse sentido (como será abordado) mostram-se extremamente contraproducentes e, atualmente, nocivas ao pensamento e à clínica psicanalítica. Como continua Hans:

> Entretanto, este novo contexto da marginalidade e suas consequências para o exercício da profissão têm causado certo desconforto a abordagens que não querem ser incluídas no grupo das terapias "alternativas" onde se mesclam charlatanismos, práticas religiosas etc. Especificamente no meio psicanalítico, há internacionalmente também um esforço de várias correntes de aproximar-se da universidade, ocupar cadeiras, obter reconhecimento acadêmico e se possível científico, participar dos debates nos conselhos e órgãos reguladores da profissão, gerando pesquisas empíricas etc.
>
> Grosso modo estes esforços visam a influenciar as regulamentações e normas e garantir alguma legitimação acadêmica e social para práticas psicodinâmicas. (Hans, 2000, p. 185)

Levamos em consideração que grande parte dos trabalhos dedicados a esse tema, especialmente por parte de psicanalistas, acaba tomando um caminho distinto daquele da discussão epistemológica. Parte-se, frequentemente, da constatação de que existe uma hipertrofia, uma supervalorização da ciência enquanto sistema legitimador de práticas e saberes, de modo que a produção científica deixaria, em muitos momentos, seu papel de produtora de conhecimento de lado e acabaria sendo apenas um instrumento de reprodução ideológica. Desse modo, a opção por atacar essa assimilação da ciência enquanto ideologia pareceria ser mais indicada, localizando, assim, a psicanálise como uma espécie de reduto de resistência a um movimento de dessubjetivação, controle normativo e silenciamento do sujeito, perpetrado pelo capitalismo em sua forma atual (Askofaré, 2013). Essa vertente parte, em geral, da tomada da ciência enquanto equivalente ao que, em alguns momentos, Lacan denominou como "discurso da ciência".

De fato, embora o tema da relação entre psicanálise e ciência seja um objeto de pesquisa pertinente desde os primórdios da psicanálise, isso não significa que estas questões sempre estejam em jogo no debate atual sobre a legitimidade do tratamento psicanalítico para doenças mentais. Ao contrário, muitas vezes parece se tratar de uma falsa questão (Dunker, 2013), na qual ataques insustentáveis são trazidos simplesmente como argumentos retóricos. Esse fenômeno deve ser encarado não como um problema epistemológico, mas como uma questão ideológica, no sentido de um mecanismo que dê conta de apaziguar certas contradições do discurso dominante. Esse funcionamento resulta de um lugar privilegiado que o nome *ciência* ocupa em nossa sociedade. Como aponta Iannini,

> *Deste modo, não faz sentido defender a cientificidade da psicanálise, nem denegri-la por sua suposta a-cientificidade. Ambas as posições não fazem senão ecoar o caráter meramente endossador de que goza a palavra "ciência" em nossa cultura, na qual o status de cientificidade é visto como via de acesso a títulos de nobreza do mais alto valor, capazes de garantir ingresso a uma série de benesses de diversas naturezas, desde prestígio social até financiamento para pesquisa, inserção institucional ou no mercado editorial. Assim, para tomarmos um exemplo atual, responder às críticas panfletárias de um* Le livre noir de la psychanalyse *(MEYER, 2005) pela vertente epistemológica, tentando defender a cientificidade da psicanálise, é deixar-se enredar por uma visão ideologicamente interessada, para dizer o mínimo, na qual a legitimação de uma determinada práxis é fortemente dependente da atribuição de cientificidade. (Iannini, 2007, p. 70)*

Dessa forma, não temos como objetivo responder a esse tipo de crítica, mas, sim, recuperar um debate muitas vezes esquecido atrás dessas questões ideológicas, que tem como objeto a relação supostamente paradoxal entre o pensamento psicanalítico e o pensamento científico. Não se trata, portanto, de um exercício de verificação, mas da aposta de que ambas, psicanálise e ciência, têm a ganhar com o avanço desse debate.

Teremos a oportunidade de retomar esta questão de modo mais aprofundado nos próximos capítulos, inclusive para demonstrar nossa concordância com alguns pontos, assim como indicar certos equívocos presentes nesta articulação entre ciência e ideologia. Por ora, vamos nos limitar a indicar que, mesmo concordando que a ciência ocupe um lugar privilegiado de reprodução e perpetuação ideológica em nossa sociedade, esse tipo de crítica que parte da psicanálise nos parece bastante ineficaz, além de, como já dito, frequentemente impreciso.

Efetividade da crítica

Fato é que, em se tratando de uma montagem ideológica tão sólida, qualquer crítica que não parta de um ponto de abertura ao diálogo – de uma posição minimamente reconhecida como legítima – tem seu poder crítico esvaziado antes mesmo de poder ser considerado. Além disso, parece-nos que pode haver aí uma confusão em relação àquilo que se teria como ponto de contradição ética. Como indica Manso de Barros:

> Então por que a psicanálise se posicionaria contra as descobertas científicas? Não será necessário separar o joio do trigo e estabelecer que o discurso psicanalítico tem mais contra o discurso capitalista e o uso feito por

30 INTRODUÇÃO

*ele das descobertas científicas do que propriamente con-
tra a ciência? (Manso de Barros, 2012, p. 84)*

Criticar a ciência sem posicionar-se como ciência – realizar uma crítica externa – é uma estratégia demasiadamente ineficaz nesse cenário: ou se acredita que é possível, a partir disso, mudar todo o sistema que estabelece a ciência como campo privilegiado na determinação daquilo que é legítimo ou não (para que, então, algo que não seria ciência possa ser ouvido tanto quanto algo que seria), ou se constrói um discurso que gira em falso, alimentando apenas um micromercado que vê nesse tipo de crítica algo suficientemente interessante, mas que acaba por abdicar de qualquer efetividade nestes campos que indicamos como de nosso interesse: saúde mental, políticas públicas etc.

Se, no primeiro caso, encontra-se a ideia de que tal crítica precisa passar por uma desconstrução radical do capitalismo enquanto sistema de produção, de modo a poder reorganizar o papel da ideologia na sociedade, no segundo, tem-se uma produção burocrática que apenas afirma um descontentamento e marca uma diferença que, em larga escala, só tem como efeito a deslegitimação da psicanálise enquanto práxis. Acreditamos, portanto, que uma posição mais aberta e menos autocentrada seja mais interessante. Nesse ponto, mais do que uma questão estratégica, defendemos um posicionamento político em relação à própria comunidade psicanalítica, indicando que debates menos autorreferentes e mais abertos a outras epistemologias podem em muito contribuir para o pensamento psicanalítico.

Além disso, não perdemos de vista o cenário político maior, em que encontramos a necessidade de uma participação mais incisiva. Não é possível jogar se não estivermos sentados à mesa, e é com este horizonte que se constrói este livro: de que encontrar pontos possíveis de diálogo e troca é a melhor opção para os dois lados. Mais do que isso, parece-nos também que realizar uma crítica que parta de dentro da própria ciência pode levar a efeitos muito mais contundentes do que aqueles que seriam alcançados por uma crítica externa, no que estamos de acordo com Manso de Barros:

> *Nós nos perguntamos, no início, por que a psicanálise se posicionaria contra as descobertas científicas, alegando que talvez o discurso psicanalítico tenha mais contra o discurso capitalista e o uso feito por ele das descobertas científicas do que propriamente contra a ciência. Se a podemos considerar inserida no campo científico, como queria Lacan, saber que contribuiu para a transformação do real no século XX, manter seu rigor metodológico e sua capacidade de revolucionar criticando dialeticamente os discursos importantes é um dos restos inelimináveis de seu uso. (Manso de Barros, 2012, p. 106)*

Isso nos leva a outra questão, mais epistemológica, sobre a possibilidade de trocas e as diferenças radicais que existiriam entre o pensamento psicanalítico e o pensamento científico. Encontramos aí nosso segundo ponto de interesse, que se mostra em muitos momentos atravessado por esse primeiro que acabamos de apresentar, mas que de modo algum se reduz a ele.

Um dos pontos de constante debate ao se discutir a relação entre psicanálise e ciência diz respeito a diferenças radicais existentes no pensamento psicanalítico e no conhecimento científico. Essas diferenças se mostram, em grande parte, ligadas à posição do sujeito na construção do conhecimento, o que é indicado como um ponto paradoxal entre os dois campos.

32   INTRODUÇÃO

Usualmente, aponta-se uma suposta separação, demandada pela ciência, entre saber e política. Parte-se, muitas vezes, de um pressuposto de que o saber seria acessível em si, descolado de suas condições de produção. Um saber absoluto, uma verdade absoluta são expressões frequentemente utilizadas nas tentativas de desqualificação da ciência ou, ao menos, de certos modos de se fazer ciência. Junto com isso, também a ideia de que a ciência moderna rejeitaria o sujeito (Dor, 1988a, 1988b; Elia, 1999; Gault, 2015). Um estudo mais aprofundado – como faremos nos próximos capítulos – mostra que essa ideia não tem mais atualidade. Infelizmente, encontramos esse tipo de posicionamento em obras de importantes psicanalistas, que, reproduzindo esta frequente conversa limitada – na qual ou se trabalha com um ideal limitado e desatualizado de ciência, ou se tem como referência uma psicanálise absolutamente reduzida a partir de recortes selecionados que ignoram o valor da teoria e da clínica psicanalítica –, acabam por transformar um debate potencialmente interessante e produtivo em uma disputa estanque. Como já foi dito, nosso objetivo é evitar ao máximo essas duas posições.

Um exemplo é o modo como esse tema é trabalhado por Joël Dor. Embora haja pontos de extremo valor em seu livro *L'a-scienficité de la psychanalyse* (1988a, 1988b), não podemos deixar de notar o tom de consideração da ciência enquanto um projeto de sutura do sujeito dividido, tomando como referência desenvolvimentos considerados ultrapassados até mesmo por seus próprios autores. Vemos isso no caso da crítica que Dor realiza em relação à Carnap, entre outros: o autor critica duramente o projeto da criação de uma língua comum para todas as ciências, empreendido pelo filósofo do Círculo de Viena. No entanto, o próprio Carnap havia, após alguns anos de estudo, indicado a impossibilidade de tal empreitada. O que é gritante é o fato de que Dor inclusive cita a desistência do próprio Carnap, mas, ainda assim, dedica-se a uma crítica profunda daquilo que já havia sido abandonado enquanto projeto. Ademais, essa escolha é importante, pois é feita em detrimento de outros caminhos que poderiam ser tomados, o que fica claro principalmente pela ausência de diálogo com autores de filosofia da ciência que já haviam realizado grandes mudanças nesse campo e que permitiriam a construção de caminhos um tanto diversos.

De fato, o psicanalista não se limita a estabelecer relações com teorias do pensamento científico, mas dedica todo o primeiro volume de sua obra a eventuais tentativas de assimilação do pensamento psicanalítico pela filosofia. Segundo Dor, tanto a relação da psicanálise com a ciência como com a filosofia teriam um ponto central em comum: a sutura da divisão (*Spaltung*), sobre a qual se constrói o discurso analítico. Isso aconteceria porque a psicanálise realizaria uma subversão epistêmica ao reconhecer não só que existe uma dimensão do discurso que escapa ao que é racionalmente enunciado, mas também por destacar especialmente o caráter de verdade que se revela naquilo que se pode escutar no que não é dito no discurso consciente. Como aponta Dor,

> *Recolocar o problema do "estatuto" epistemológico da teoria analítica sobre a* Spaltung *é recolocá-lo sobre isso que ela inaugura irremissivelmente na ordem de um discurso, de uma mediação aonde o sujeito se presta, involuntariamente, a um desvio inevitável da verdade do que ele enuncia. (Dor, 1988a, p. 15, tradução nossa)*

Nesse sentido, o autor aponta que as tentativas de apropriação da psicanálise pela filosofia, o que ele denomina *a alienação da psicanálise*, seriam tentativas de construir um discurso que, ao tentar subordinar a divisão do sujeito a outro sistema epistêmico, acabariam por estabelecer um sistema conceitual, em que o enunciado voltasse a gozar de sua unidade e correspondência com a verdade – negando, assim, a divisão em questão. Dor afirma que essa negação

34 INTRODUÇÃO

seria necessária justamente pela necessidade de reestabelecer uma dimensão garantidora da validade do discurso, de modo que essa assimilação da psicanálise por outra episteme seria um jeito de subordiná-la a um discurso "mais completo", que pudesse prever os fenômenos encontrados e, assim, servir como um discurso garantidor – tema exaustivamente trabalhado no primeiro volume de sua obra.

O mesmo ocorreria na ciência, modo de estruturação do conhecimento que tradicionalmente demandaria a expulsão das marcas do sujeito para que pudesse se estabelecer o que é chamado pelo autor de conhecimento de um sujeito não dividido. Nesse ponto, Dor recorre à sua referência (principal) mais atual, que é o livro *Pensée formelle et sciences de l'homme*, de Gilles-Gaston Granger (1960/1967). A referência a esta obra se dá em relação a um esquema que Granger propõe, que localiza a ciência – definida como a *construção de modelos eficazes de fenômenos* – como uma prática que acontece entre dois polos: de um lado, teríamos a matemática e a lógica, na medida em que elas representariam o máximo de rigor que uma formalização pode fornecer, e do outro, a história, indicando o limite da precisão de uma ideia.[3] Desse modo, pode-se pensar que quanto mais formal e rigorosa uma ideia, menos precisa (em relação à realidade) ela seria – assim como quanto mais precisa, menos rigorosa e formalizável. A partir disso, Dor propõe uma articulação com a ideia de forclusão do sujeito pela ciência, de modo que quanto mais perto da matemática (menor o grau de subjetividade), maior a forclusão, que diminuiria em direção ao limite da história. Consequentemente, ele coloca a psicanálise como um ponto além da história. Mais que isso, Dor localiza

---

3 Trabalharemos esta e outras ideias de Granger nos capítulos seguintes, tanto em relação às suas discussões sobre o que seria (ou não) uma ciência como em relação às possíveis influências que ele poderia ter exercido no pensamento de Lacan.

na incompatibilidade entre o *sujeito do conhecimento* e o *sujeito da psicanálise* o principal ponto de impossibilidade de estruturação da psicanálise como uma ciência:

> *Como conciliar os imperativos implicados pela* Spaltung *com a estruturação de um discurso que deve enunciar, sempre que possível, de um modo "científico" qualquer coisa ligada à própria dimensão da subjetividade? É nesse sentido que a questão da cientificidade analítica aparece estritamente indissociável da problemática do sujeito do conhecimento, principalmente do* sujeito da ciência *e da relação que esse sujeito estabelece com o objeto a ser cientificizado, na construção dos enunciados científicos. (Dor, 1988a, p. 152, grifos do autor, tradução nossa)*

Mais do que isso, aponta-se que essa necessidade de apagamento do sujeito seria, em si, uma espécie de garantia, pois permitiria a construção de um conhecimento de base comum a todas as disciplinas científicas, projeto do empirismo lógico. Dor se dedica a uma análise minuciosa sobre a impossibilidade do estabelecimento dessa instância garantidora, discussão que é bastante criticada por Beividas (2000): segundo o linguista e psicanalista brasileiro, Dor teria se dedicado a um empreendimento tão complexo quanto infrutífero, pois as teorias por ele atacadas (especialmente o empirismo lógico, ao qual Dor mais se dedica) já haviam, como indicamos anteriormente, sido abandonadas no campo da filosofia da ciência há algum tempo. Desse modo, Beividas aponta em Dor certo caráter fóbico em seu modo de tratamento do tema, por dar uma importância exagerada às "tentativas de sutura da divisão do sujeito".

36 INTRODUÇÃO

De fato, parte dessa crítica de Beividas é bastante pertinente, já que, como vimos, esta concepção de ciência como garantia de um conhecimento verdadeiro é algo superado, inclusive, por Granger. Mesmo que este faça uma defesa dos conhecimentos formais (ou mais formalizáveis) em detrimento de um conhecimento menos rigoroso produzido pelas ciências humanas, Granger deixa bastante claro tratar-se de um projeto não completamente realizável. Assim, o encadeamento que Dor propõe – ao primeiro trabalhar as definições de Granger para, depois, atacar propostas de uma ciência ideal, ou o "ideal de ciência ideal", como ele nomeia as tentativas de estabelecimento de um discurso que garanta as ciências – parece perder de vista que, mesmo com uma referência menos rígida de ciência, a psicanálise ainda enfrenta questões extremamente complexas, que continuam a ser colocadas mesmo por pensadores que abandonaram projetos como o do empirismo lógico. Por outro lado, a recente assimilação ideológica de ideais cientificistas que a própria filosofia da ciência considera hoje inadequados pode apontar que essa "fobia" não era de todo injustificada, o que não significa, todavia, que o texto tenha tido sucesso em produzir efeitos com sua argumentação.

A paradoxalidade instaurada: um debate que não avança

Nesse sentido, parece-nos que a crítica mais adequada em relação ao texto de Dor incide no fato de haver um desbalanceamento entre defesas da psicanálise contra fantasmas que sempre tornam a assombrar e um trabalho efetivo de, para além de estabelecer a incompatibilidade do discurso psicanalítico com certos encaminhamentos do pensamento científico, realmente fazer avançar o debate entre psicanálise e ciência. Podemos falar em *desbalanceamento*, pois este segundo ponto é um dos objetivos do livro de Dor que, contudo, acaba tendo pouco espaço.

Pois é desse modo que ele apresenta o ápice de seu argumento, a partir do reconhecimento de uma paradoxalidade instauradora: por um lado, teríamos a psicanálise, que, em seus desenvolvimentos, debruça-se sobre aquilo do sujeito que a ciência tenderia a excluir em seu funcionamento, defendendo a impossibilidade de estabelecimento de qualquer tipo de instância garantidora do conhecimento; por outro, teríamos justamente a tentativa de circunscrição disso que garante o conhecimento como objeto da filosofia da ciência – que teria por função a elaboração de fundamentos que possibilitariam a distinção entre discursos "garantidos" e discursos "não garantidos", baseada, sobretudo, na expulsão do sujeito de seus enunciados por meio da formalização. Como, então, seria possível conciliar esses dois pontos? É isso que Dor localiza como a *paradoxalidade instauradora* da psicanálise.

Nossa posição, que será embasada no Capítulo 1, parte do reconhecimento de uma instabilidade na base dessa argumentação, aquela de que a ciência forcluiria o sujeito, ou *a verdade como causa*. Parece-nos que esse tipo de construção só é possível a partir da consideração de um ideal bastante datado de ciência; e que, nos termos atuais, esse ponto não se mostra mais relevante. Em outras palavras, será que essa condição de exclusão do sujeito realmente se encontra enquanto um pressuposto do pensamento científico? Mais que isso, esse giro na base da discussão tem como referência não somente a atualização da concepção de ciência, mas também um outro entendimento acerca da discursividade da psicanálise.

Partimos, então, de um debate sobre a real possibilidade de inclusão da divisão do sujeito em qualquer discurso estabelecido, tema este trabalhado com afinco por Lacan em diversos momentos, de que ressaltamos o seu texto "O aturdito" (1973/2003). Pode-se afirmar que Lacan não considerava esse movimento de negação de uma dimensão da verdade do sujeito como exclusividade da ciência, tendo em vista seu grande engajamento em tentar estabelecer uma transmissão da própria psicanálise que escapasse a isso, que contivesse a inexistência de metalinguagem como efeito inevitável. É nesse sentido que escreve um texto que, em sua primeira parte, faz tal uso de equívocos e ambiguidades que dificilmente se pode estabelecer um sentido único para aquilo que se está dizendo; na segunda parte, um recurso radical à topologia – partindo do pressuposto de que a topologia é a estrutura, e não sua representação – parece fortalecer este projeto de uma escrita em que a verdade não se reduza ao sentido. Se esse objetivo foi, de fato, alcançado é uma discussão que não nos cabe aqui. E mesmo que aceitemos que seja possível alguma discursividade que não opere qualquer tipo de estabelecimento de sentido que acabe por minimizar a divisão subjetiva, ainda assim não vemos aí um caráter necessário, não encontramos motivos pelos quais o estabelecimento de uma discursividade que produza sentidos pela psicanálise significaria uma negação de sua práxis.

Parece-nos, ao contrário, que essa paradoxalidade só se sustenta frente a uma redução extrema do que se entende por ciência ou por uma generalização idealizada da função do analista (ou do discurso do analista), que imaginaria possível a construção de uma práxis baseada em uma teoria que recusa radicalmente qualquer produção de sentido, pois isso significaria uma sutura da divisão do sujeito; ou mesmo a respeito de uma possível diferença em relação ao tratamento dado ao real, que seria, na ciência, algo a ser sempre dominado – enquanto visto como irredutível na psicanálise –, como nos indica Freire (1997). Como problematiza Coelho dos Santos,

> *O real da psicanálise coincide em parte ou inteiramente*
> *com o da ciência: "Suponham que se não houvesse nada*

de impossível no real – os cientistas fariam uma careta e nós também. Mas quanto caminho foi preciso percorrer para ver isso. Durante séculos acreditou-se que tudo era possível" (Lacan, 1974/2011, p. 16). O real não é o mundo. O real não é o universal, não se pode dizer "todos são". Ele só é todo no sentido de que cada um dos seus elementos é idêntico a si mesmo. (Santos, 2012, p. 49)

Vemos que, acima de tudo, mesmo que seja possível indicar um modo de relação distinto em alguns momentos, isso não pode ser generalizado, nem para a ciência "como um todo", tampouco para a psicanálise – que não funciona somente a partir do discurso do analista, por mais que este seja seu traço específico:

Face a tudo que foi exposto, não seria mais razoável concluir que a psicanálise participa de duas concepções do real, cujo fundamento, entretanto, é único: o real é impossível? Uma parte de nossa atividade, a clínica psicanalítica, pode ser formalizada. Haverá, entretanto, em cada experiência, o encontro com uma singularidade irredutível, pois os efeitos de lalíngua sobre a diversidade dos corpos não podem ser completamente reduzidos às classificações que já conhecemos. Por esta razão, mais do que nunca, o analista no século XXI precisa estar disposto à surpreender-se e se expor ao acaso de novos encontros. (Santos, 2012, p. 59)

Aqui, encontramos outro ponto importante de delimitação, que diz respeito àquilo que se pode e ao que não se pode formalizar, a partir do qual se pode construir um saber positivo ou mesmo uma teoria. Essa questão é delicada, uma vez que, quando falamos de psicanálise, estamos falando tanto da situação clínica como de

40 INTRODUÇÃO

sua teoria. Em relação à clínica, é necessário reconhecer que existe uma dimensão de singularidade que não permite nenhum tipo de generalização, de modo que o saber que se pode produzir é mais bem definido enquanto um saber negativo, e não positivo. Além disso, a situação clínica traz em seu seio a dimensão ética, sem a qual a clínica perde seu sentido, mas que também complexifica a atividade de pesquisa.

Como defende Silva (2000), a ética e o método da psicopatologia não podem ser separados, especialmente por tratarem-se de concepções sobre o próprio sujeito. Assim, ele defende que o método psicopatológico deve partir de uma alteridade irredutível, uma impossibilidade de positivização da "normalidade", e esta é uma questão ética. Como observa o autor,

> A "normalidade" é uma grande incógnita no método psicanalítico de investigação, e o esquecimento deste princípio transforma rapidamente a psicanálise em uma versão mística da reengenharia de comportamento. Com efeito, é a própria alteridade como enigma, seja ela normal ou patológica que confere uma posição forte, isto é, um princípio constitutivo à psicopatologia psicanalítica.
> Ora, a alteridade como enigma é, por assim dizer, a garantia metodológica do método psicopatológico, mas também sua garantia ética. A normalidade como tal é um objeto de estudo da psicopatologia, eis o que leva Freud a avançar hipóteses psicanalíticas sobre a cultura, a religião e as artes, sem contudo adotar uma posição normativa. (Silva, 2000, p. 135)

No entanto, isso não significa uma impossibilidade de construção de conhecimento, muito menos de compartilhamento de balizas metodológicas ou de transmissão. Afinal, a psicanálise tem essa tensão presente em seus desenvolvimentos desde o princípio, sempre problematizando a separação entre aquilo que é singular e aquilo que pode ser generalizado e como estes dois âmbitos se atravessam na construção da teoria. Um saber não precisa, necessariamente, ser normativo: ele pode demonstrar, por exemplo, a impossibilidade de se definir a sexualidade enquanto algo descolado da "natureza humana". Isso não retira seu caráter de saber. A dimensão da singularidade não pode servir como um impedimento para tal, muito embora, como já dito, seja necessário atentar para eventuais conflitos e impossibilidades entre o pensamento psicanalítico e certas demandas de reconhecimento. Como defende Iannini,

> ... a suspensão do caráter normativo da pergunta pela cientificidade não quer dizer que a psicanálise possa se furtar à tarefa de explicitar protocolos para validação de sua práxis e de seus conceitos. É necessário, porém, que ela possa estabelecer parâmetros internos, a partir da própria esfera de racionalidade que ela instala. Evidentemente, estes critérios não podem fechar-se em si mesmos. (Iannini, 2007, p. 71)

Um interessante caminho é traçado por Iannini ao defender a noção de *extimidade* da psicanálise em relação à ciência: "É possível dizer que a psicanálise está incluída externamente na ciência e por isso constitui-se como ciência êxtima?" (Iannini, 2007, p. 72). Vemos aí outro modo de localizar a paradoxalidade, apontando que a psicanálise partilharia uma visão científica – podendo, assim, ser incluída na ciência –, mas, por outro lado, apresentaria uma irredutibilidade de seus objetos e enunciados – colocando-se, assim, em uma inclusão externa. No entanto, na esteira de outros autores já

42   INTRODUÇÃO

comentados, Iannini opta por outro caminho de desenvolvimento, focando na crítica da função autoritária que o predicado *científico* apresenta na sociedade e defendendo o recurso a outras referências para a legitimação da psicanálise (como literatura, filosofia ou teoria social), mostrando, inclusive, este posicionamento como uma forma de relativização da autoridade do argumento científico:

> *Crítico do pensamento analógico e entusiasta da formalização, Lacan deparou-se cedo com impasses inevitáveis da formalização científica. A história de seu pensamento confunde-se com a história das sucessivas tentativas de superação dos impasses internos a cada modelo de formalização adotado. O recurso à estrutura, ao matema, à topologia e à teoria dos nós é apenas parte desta estratégia. É verdade que tanto sua concepção de ciência quanto seu conhecimento de história das ciências demonstram a intimidade de Lacan com a epistemologia histórica de seu tempo. Se, apesar desta intimidade, ele preferiu pensar a psicanálise como ciência êxtima, não é por acaso. (Iannini, 2007, p. 76)*

O argumento é, sem dúvida, valioso; no entanto, não nos ajuda em nosso encaminhamento, ao menos não imediatamente, uma vez que acaba tomando o caminho da crítica social. Vemos que, de fato, por mais que seja possível circunscrever o tema nesses termos e encontrar embasamento em autores da filosofia da ciência para propor que outro tipo de cientificidade pode ser postulado, dar um passo à frente tem se mostrado uma tarefa bastante complexa, e é esta que, após estes longos prolegômenos, intentamos enfrentar. Porém, que caminho seguir?

Possibilidades de encaminhamento

Parece-nos que existem dois caminhos principais. O primeiro parte da defesa de que o recurso a outras disciplinas permite à psicanálise maior delineação conceitual e, consequentemente, aumenta as possibilidades de operações formais e validações. É, em linhas demasiadamente gerais, o que podemos depreender de Beividas (2000) em sua aproximação da psicanálise com a semiótica. Teremos oportunidade de retomar o seu trabalho; por ora, podemos apenas apontar que a utilização da semiótica parece ganhar tamanha centralidade que o pensamento psicanalítico tende a ficar um tanto quanto "refém" dos avanços linguísticos. Embora seu esforço seja extremamente interessante e consistente, parece-nos mais importante, neste momento, poder atacar frontalmente este que nos parece ser o cerne da questão: um posicionamento forte da psicanálise, ela mesma, frente àquilo que se pode (ou não) chamar de ciência.

O segundo caminho surge a partir do questionamento sobre a necessidade de exclusão do sujeito da consideração científica, ponto que temos pouco a pouco construído por sua centralidade nas recusas, por parte de psicanalistas, de entrar num debate mais franco. É interessante notar que Dunker (2011), ao indicar, também, uma relação de pertencimento e não pertencimento da psicanálise em relação à ciência, propõe um argumento com a seguinte estrutura: primeiramente, apresenta pontos de paradoxalidade e, em seguida, encaminha a problemática pela tensão existente no fato de a psicanálise ser, ao mesmo tempo, um método clínico e um método de investigação.

Desse modo, é nesta dupla função que o autor localizará grande parte das dificuldades do debate, por desencontros inerentes ao que seria uma clínica e ao que é uma pesquisa. Assim, define três pontos centrais, estando o primeiro em consonância com o que já indicamos nos encaminhamentos baseados na "forclusão do sujeito na produção do conhecimento científico". Deve-se notar, entretanto, que Dunker não enxerga aí uma impossibilidade, mas, sim, uma constante instabilidade nos esforços. O segundo ponto trata da possibilidade de universalização, indicando que esta depende tanto da linguagem quanto da *Spaltung*: se a linguagem pudesse permitir algum tipo de universalização, essa possibilidade seria abalada pelo fato de que o modo pelo qual se encontra a divisão é pela fala pessoal de cada sujeito, e não pela língua:

> *É a divisão singular, que se encontra em cada sujeito, que interessa ao método de tratamento. O método de tratamento não é sucedâneo perfeito do método de investigação. Neste sentido, a psicanálise se deteria sobre experiências cuja reprodução e particularização são possíveis, no entanto, exigem uma concessão à exigência fundamental de seu método. Portanto, as duas formas pelas quais se verifica o critério de universalidade são incomensuráveis entre si. Mais uma vez a psicanálise instabiliza o critério pelo qual se deu esta inclusão. (Dunker, 2011, p. 317)*

Finalmente, o terceiro ponto por ele ressaltado é o fato de que "a psicanálise parece recusar o critério de positividade do saber, necessário para que este se estabeleça como conhecimento" (Dunker, 2011, p. 317). Nesse sentido, novamente se encontra uma tensão entre clínica e produção de saber, pois se para a ciência a verdade pode ser abandonada em detrimento da produção de conhecimento, a clínica responde antes a um imperativo ético, no qual a verdade – mesmo que entendida como verdade particular de cada sujeito – deve se sobrepor ao conhecimento.

Vemos, dessa maneira, como o autor permite um encaminhamento distinto ao explicitar como essas incompatibilidades se entrelaçam na vocação clínica (ética) da psicanálise, apontando como, mais do que uma impossibilidade de formalização ou validação, esbarra-se na primazia da clínica frente a demandas de uma investigação com parâmetros específicos de validação e compartilhamento. Frente a esses argumentos, o que defendemos é que se explore as possibilidades de conjugação da prática clínica com momentos de estabelecimento do saber que sejam marcados pela clínica, mas que também tenham certa independência da ética do tratamento, para que os objetos possam ser tratados com outros objetivos. Desse modo, partimos do pressuposto de que a confluência entre método clínico e método investigativo não seja um impeditivo. Por mais que um deixe sua marca no outro, pode-se tentar criar momentos em que possam ser considerados de modo relativamente independente. Se isto funciona ou não na prática é um dos pontos que trataremos no Capítulo 3.

Desse modo, podemos indicar que, em relação à rejeição do sujeito na produção do conhecimento científico, iremos analisar de perto o quanto isso se sustenta como uma marca irredutível do pensamento científico. Como trabalharemos no Capítulo 2, esse traço parece, na verdade, estar a serviço mais de uma demanda de comunicabilidade e reprodutibilidade do que de uma regra absoluta em si. Mais que isso, a própria reprodutibilidade tem como base a defesa de que o conhecimento seja público, de que possa ser refeito em qualquer lugar. Se a comunicabilidade e a reprodutibilidade puderem ser alcançadas de outro modo, a rejeição do sujeito não seria necessária. Voltaremos a isso.

Quanto à segunda questão levantada por Dunker, parece-nos que, embora não possa passar despercebida, a incomensurabilidade entre essas duas dimensões e o tipo de generalização que cada

46 INTRODUÇÃO

uma proporciona não configuram, também, algo intransponível na discussão que propomos. Como veremos no Capítulo 2, a incomensurabilidade é, em si, algo presente em qualquer tipo de consideração científica. O fato de que não se possa estabelecer uma contiguidade entre essas dimensões não significa que elas não possam ser conjugadas de modo interessante, mesmo que seja no estabelecimento de limites entre dois campos.

Junto com isso, também não nos parece um empecilho o fato de haver certa resistência à criação de um saber positivo, como nos indicam Silva (2000) e Dunker (2011). Embora não seja algo comum naquilo que usualmente chamamos de ciência, não nos parece haver nenhuma impossibilidade nesse sentido. Por outro lado, a possibilidade de delimitação daquilo que não pode ser definido é essencial – algo, aliás, que a clínica psicanalítica realiza com bastante propriedade. Por mais excêntrico que possa parecer, se a psicanálise lograr ocupar esta posição na comunidade científica – posição de, a partir de métodos e parâmetros compartilhados, estabelecer os limites para aquilo que se pode definir sobre o sujeito, indicando os atravessamentos éticos e clínicos presentes nas produções do conhecimento e em suas aplicações –, isto já seria um ganho inestimável. É sobre como fazer isso que nos debruçaremos.

No início desta introdução, indicamos que este livro reúne um campo de interesse epistemológico e um posicionamento político. Esses dois pontos estão entrelaçados e irão, aos poucos, desenvolver-se de modo solidário. Retomamos essa divisão após estes desenvolvimentos preliminares somente para ressaltar que a posição política consiste em nada mais do que uma posição de abertura. Desse modo, o entrelaçamento entre os interesses políticos e epistemológicos se dá devido ao fato de que um posicionamento político mais consistente demanda uma abertura maior a relações com outras disciplinas, o que, por sua vez, traz ganhos de interesses epistemológico e teórico. E essa é uma via de mão dupla, já que a exploração desses ganhos produz uma possibilidade de circulação mais propositiva da psicanálise em debates políticos.

Independentemente dos resultados que iremos obter, nosso objetivo principal é contribuir para um modo de tratamento dessas questões que seja menos reativo, menos defensivo. Afirmamos que a psicanálise pode participar desse tipo de discussão como protagonista, e não como algo que deve se esquivar de acusações. Mais que isso, a abertura que pode ser produzida a partir de tal posicionamento traria ganhos não somente políticos ou referentes a esse campo intermediário, produzido na intersecção entre diferentes disciplinas; uma maior abertura traria, também, ganhos "internos" ao pensamento psicanalítico, que se veria retirado de uma zona de conforto e obrigado a dialogar com aqueles que não partilham, em princípio, de sua ética, de seu(s) dialeto(s), de seus pressupostos etc.

Em outras palavras, são mais ocasiões de se ver confrontado com o real, de permitir que furos sejam apontados e produzidos e que possam vir dos lugares menos previsíveis. Poderia se dizer que os furos no simbólico sempre vêm de lugares inesperados; que, se não fosse este o caso, não seriam furos reais. É verdade, mas isso não impede que criemos modos de limitar essas possibilidades, privilegiando certos modos de irrupção do real em detrimento de outros. Acreditamos que a ocupação de um lugar mais franco em relação à ciência, nesse sentido, funcione como um alargamento dessas possibilidades, que muito têm a contribuir com a clínica e com a teoria psicanalíticas.

Diante desta longa introdução, falta-nos apenas indicar aquilo que vemos como uma alternativa de encaminhamento: trata-se

48   INTRODUÇÃO

do estudo de uma possibilidade de verificação extraclínica, especificamente a validação experimental. Escolhemos esse caminho porque a validação extraclínica parece possibilitar maior liberdade para a realização de formalizações e verificações sem necessariamente agredir a ética clínica. Além disso, como colocado no início, a articulação com ciências experimentais parece ser o ponto mais improvável e problemático nesse debate. Partimos do pressuposto de que, se conseguirmos dialogar até com esse tipo de racionalidade, o caminho para o estabelecimento de um debate mais estável e produtivo entre psicanálise e ciência será facilitado. Este será, então, o centro de nossa discussão e nossa aposta de encaminhamento.

Nesta primeira construção, apontamos (1) uma necessidade político-clínica de fazer avançar esse debate, indicando algumas (2) questões epistemológicas que devem ser revistas a partir da atualização do debate e a (3) delimitação de algumas questões que devem ser consideradas para que não se percam pontos essenciais neste movimento. Pretendemos fazer isso, primeiramente, retomando dois pontos da teoria psicanalítica que nos parecem centrais, pois, além de momentos extremamente ricos e interessantes, também são desenvolvimentos aos quais frequentemente se recorre para embasar argumentos que, a nosso ver, acabam mais por dificultar do que por ajudar a avançar na discussão. Trata-se do texto "A ciência e a verdade" (Lacan, 1966/1998) e da teoria lacaniana dos discursos, e abordaremos isto no Capítulo 1.

Em seguida, no Capítulo 2, faremos uma breve apresentação do movimento existente no campo da filosofia da ciência. Não teremos, de forma alguma, o intuito de esgotar essa área tão vasta e complexa, mas apenas de indicar a pluralidade aí existente e como as possibilidades de encaminhamento são muito mais diversas do que em geral consideramos ao pensar nesse tema.

Após esses dois capítulos de "atualização do debate", no Capítulo 3, iremos nos debruçar sobre a discussão de alguns experimentos extraclínicos que se mostram como possibilidades interessantes de avanço. Não temos como objetivo nem fazer uma defesa *a priori*, tampouco deslegitimar, de saída, esses esforços: vamos nos concentrar em pensar os limites e as possibilidades abertas por esses movimentos.

Finalmente, na Conclusão, faremos uma retomada de nosso percurso, na tentativa de estabelecer aquilo que encontramos como resultados e também aquilo que nos restou enquanto questionamento.

1. A ciência na psicanálise: evitando equívocos

Como apontado na Introdução, a relação entre psicanálise e ciência mostra-se um tema bastante complexo, uma vez que reúne questões provenientes de diversos campos. Tem-se, assim, a confluência de problemáticas políticas, discussões éticas, noções epistemológicas e também um caráter histórico que abrange uma dialética de alienação e separação da psicanálise em relação ao seu campo de origem, de modo que grande parte do debate já realizado sobre o tema tem como pano de fundo um questionamento sobre o lugar, a autonomia e a especificidade da psicanálise. Dessa maneira, há a reunião de inúmeros usos de conceitos e noções que, embora tenham uma função específica em seus contextos, não deixam de produzir marcas que ultrapassam seus ensejos originais – fato que muitas vezes enriquece o debate, mas que, em outros momentos, torna-o mais difícil. Portanto, a estratégia de abordagem dessa problemática deve ser muito cuidadosa, justamente para evitar que a discussão seja interrompida desnecessariamente por usos deslocados de desenvolvimentos anteriores.

Como dito, trata-se de uma questão que ocupa tanto psicanalistas como epistemólogos e filósofos da ciência já há algum tempo, e que, sem dúvida, mostra-se uma problemática de difícil tratamento – que dirá resolução! Desde tentativas de cientificização da psicanálise, apontamentos de insuficiências em relação a padrões definidos e consideração da psicanálise como uma pseudociência até o deslocamento da questão para uma possível crítica psicanalítica do saber científico e sua construção – posicionando, assim, a psicanálise como uma prática a-científica ou mesmo anticientífica (Japiassu, 1989/1998) –, pode-se reconhecer um enorme campo de possibilidades de tratamento da questão. Dadas a vastidão do campo e das possibilidades de encaminhamento, optamos por um recorte preciso, que tem como objeto as consequências e possíveis desenvolvimentos do modo como a questão é tratada por Lacan.

Essa escolha parte do reconhecimento da grande riqueza presente no modo de trabalho do psicanalista francês, decorrente tanto de um constante diálogo com autores referenciais da epistemologia e da história e filosofia da ciência como da solidez clínica a partir da qual essa relação entre psicanálise e ciência é pensada – de modo que se acentua a resistência da psicanálise enquanto práxis clínica diante de possíveis movimentos de redução teórica e formalização total. Além disso, o modo como Lacan aborda o problema é interessante, uma vez que orbita em torno de diferentes possibilidades de encaminhamento.

Segundo Sidi Askofaré (2013), a ciência teria sido o maior interlocutor de Lacan durante seu ensino. Embora o peso de tal afirmação não seja relevante para os objetivos deste trabalho, é importante a constatação de que a relação da psicanálise com a ciência foi uma temática recorrente, retomada de maneiras diversas em momentos distintos. Entretanto, há um texto em que a temática é abordada de modo mais explícito e aprofundado; e que, não obstante, marca uma nova maneira de aproximação do tema. Além disso, é um ponto de referência, de modo que diversos psicanalistas posteriores retomam essa argumentação para embasar suas posições (Alberti & Elia, 2008; Askofaré, 2013; Dor, 1988a, 1988b; Elia, 1999; Freire, 1997; Gault, 2015; Iannini, 2012). Trata-se da estenografia da primeira sessão do seminário sobre o *Objeto da psicanálise* (1965/1966), publicada sob o nome de "A ciência e a verdade" (1966/1998), texto que servirá de norteador para o presente trabalho, tanto por sua agudeza conceitual quanto por sua propositividade em relação ao tema.

Em "A ciência e a verdade", é possível estabelecer uma retomada de outro texto – este de Freud – que teria marcado profundamente o modo como Lacan se aproxima da relação entre ciência e psicanálise. Trata-se de "A questão de uma *Weltanschauung*" (1933/2010), texto no qual Freud apresenta diferentes modelos de construção de uma visão de mundo e não vacila em localizar a psicanálise como pertencente à *Weltanschauung* científica. Desse modo, temos que a psicanálise não somente teria surgido no campo da ciência, como teria enquanto futuro sua consolidação como um ramo científico.

Para tanto, Freud demonstra, primeiramente, que existe uma visão de mundo científica, o que é distinto da existência da ciência em si. Trata-se de uma concepção de mundo que, para além das pesquisas e instituições científicas, tem um papel forte no estabelecimento de um projeto de investigação e dominação do ser. Segundo, ele afirma que a psicanálise se insere nessa visão de mundo enquanto uma extensão da pesquisa (científica) no domínio psíquico. Terceiro, formula que a *Weltanschauung* científica não somente se oporia a outras (religião, magia e filosofia) como também modificaria a própria concepção de visão de mundo, que – se antes se mostrava fechada e totalizante –, com a ciência, mostra-se aberta e em expansão.

Contudo, deve-se reconhecer nesse posicionamento de Freud não somente uma questão epistêmica, mas também ética e política.

54   A CIÊNCIA NA PSICANÁLISE: EVITANDO EQUÍVOCOS

A adesão à *Weltanschauung* científica aponta para a defesa desse modo de pensamento como principal força legítima no debate público, por ser capaz de desmitificar o mundo.[4] Segundo Askofaré (2013), dessa maneira, esse texto serviria como complemento de outro texto freudiano, "Mal-estar na civilização" (Freud, 1930/2010), de modo que – frente ao impasse reconhecido pelo psicanalista vienense decorrente do processo civilizatório – a localização da psicanálise enquanto ciência seria um posicionamento propositivo que teria como função a indicação de uma disciplina apropriada a lidar com o mal-estar.

Deve-se lembrar, ademais, que Freud apresentava uma noção bastante otimista da ciência, apontando-a como o principal modelo de construção de saber e de embasamento das ações humanas, especialmente se considerarmos sua incisiva (e imprecisa) previsão quanto ao lugar futuro das visões de mundo, o que pode ser visto em "O futuro de uma ilusão" (Freud, 1927/2014). Reconhece-se, assim, não somente um movimento de aproximação (ou de consolidação de afinidades) entre psicanálise e ciência, mas também um claro esforço de demarcação de incompatibilidade em relação à religião – questão que, segundo Askofaré, tinha grande peso para Freud e teria sido retomada por Lacan. Por outro lado, Askofaré aponta para uma alienação, visto que que Freud acreditava em uma possibilidade de integração total da psicanálise no campo científico, sem resto.

> *Mas essa posição freudiana é também problemática na medida em que esse assujeitamento integral, essa alienação (sem separação) da psicanálise à ciência conduziria a nada menos que a abolição da psicanálise como*

---

4   Um desenvolvimento aprofundado sobre as relações de Freud com as teorias científicas de sua época pode ser encontrado em Assoun (1983).

acontecimento de discurso, como acontecimento na ordem dos discursos, notadamente ao lhe recusar toda e qualquer ética e política autônomas. Atingimos, aqui, os limites do cientificismo freudiano que mantém Freud, de certo modo, servo do ideal da ciência e o leva in fine a identificar a dominação da ciência ao reino da Razão.
(Askofaré, 2013, p. 52, tradução nossa)

Segundo Askofaré, Lacan teria retomado o projeto freudiano de consolidação da psicanálise enquanto um ramo da ciência, realizando uma espécie de atualização dessa problemática a partir de articulações com disciplinas de recente desenvolvimento, principalmente a linguística e a antropologia estruturalista. Desse modo, a questão do pertencimento da psicanálise ao campo científico teria povoado as pautas de diversos textos e sessões de seu seminário. Nesse primeiro momento do tratamento lacaniano da questão, encontra-se, portanto, um esforço notável de embasamento epistemológico e de tentativas de correspondência a demandas de conceitualização e formalização da teoria psicanalítica a partir de sua articulação com outras disciplinas.

Como afirma Beividas (2000), podemos ver já em textos iniciais algumas questões relevantes a esse debate, como a afirmação do caráter paranoico de todo conhecimento, que seria construído a partir da identificação com seus objetos. Isso não significa, entretanto, nenhum tipo de desvalorização, ao contrário: mesmo antes da "década de ouro" (1950) do estruturalismo na antropologia e na linguística, Lacan já apresentava um movimento de consideração da psicanálise como uma ciência – o que pode ser visto em seus textos dentre os anos 1932 e 1950. Isso pode ser encontrado, por exemplo, em "Para-além do 'princípio de realidade'" (Lacan, 1936/1998) ou em outros textos como "Formulações sobre a causalidade psíquica" (1946/1998) ou "A agressividade em psicanálise" (1948/1998).

56 A CIÊNCIA NA PSICANÁLISE: EVITANDO EQUÍVOCOS

Entretanto, é entre "Função e campo da fala e da linguagem em psicanálise" (1953) e o *Seminário XI* que esse tema ganhará mais centralidade, uma vez que se encontra uma referência à ciência como racionalidade e como espírito, no sentido em que Freud definia a *Weltanschauung* científica:

> *O campo científico é ali apresentado como o solo nativo da psicanálise, que deve a ele, de uma só vez, o seu tipo de racionalidade, as suas condições éticas de possibilidade (via ética kantiana) e o sujeito sobre o qual ela opera: o sujeito da ciência. (Askofaré, 2013, p. 53, tradução nossa)*

E é, em parte, com essa visada que a antropologia e a linguística estruturalistas serão abordadas,[5] enquanto referências cuja articulação possibilitaria a construção de bases mais sólidas para a psicanálise enquanto ciência: "O Discurso de Roma, como ficou conhecido o texto de 1953, foi na verdade um manifesto de integração da psicanálise na nova ordem conceptual que se estabelecia no campo das ciências humanas" (Beividas, 2000, p. 39). O que não significa, contudo, que esse projeto tenha dominado completamente o ensino do psicanalista; pelo contrário:

> *Entretanto, se a cientificidade era então efetivamente apontada, não passou a ser ostensivamente perseguida e pregada. Basta percorrermos os textos do final dessa década para notarmos logo uma espécie de silêncio epistemológico de Lacan quanto à ligação da psicanálise com a ciência e também alguns indícios de certa decepção para com a linguística, tal como a via. Esse silêncio e a decepção era um tempo de gestação do que seria, a meu ver, sua mais madura posição teórica frente à ciência,*

---

5 Para estudos mais aprofundados sobre este tema, ver Dosse, F. (1993) e Milner, J.-C. (1996).

> *ou pelo menos frente ao discurso científico tal como o entendia. A posição teórica se externará com maior ênfase a partir da década de 60, mais precisamente, no texto "A ciência e a verdade" (1966). Ela germina, no entanto, já a partir dos últimos seminários dos anos 50, nos quais o ardoroso freudiano procura conceptualizar em psicanálise a questão do desejo. (Beividas, 2000, p. 40)*

Também pode-se notar, então, que essa máxima de sustentação da psicanálise enquanto uma ciência começa a passar por transformações em relação à concepção de ciência que se tem como referência, de modo que Lacan (1964/1973) coloca a questão já de um modo um tanto diferente, ao indagar qual ciência seria apropriada para a psicanálise. Vemos, no entanto, que essa retomada marcadamente diferente da questão no *Seminário 11* traz consigo algumas outras questões que devem ser consideradas.

O final do ano de 1963 e o início do ano 1964 foram marcados por um importante acontecimento na psicanálise francesa, a saber, a retirada do título de analista didata de Lacan. Consequência do desenvolvimento de conflitos políticos e institucionais que enviviam questões clínicas e teóricas, Lacan recebe este fato como resultado de condições para a filiação da Sociedade Francesa de Psicanálise à Associação Internacional de Psicanálise – o que ele nomeia como "excomunhão", fazendo alusão a Espinoza. Embora esses acontecimentos sejam extremamente interessantes, iremos nos ater somente a alguns efeitos desse evento, a saber, a interrupção de *os nomes-do-pai* e a mudança do local onde era ministrado o seminário.

De fato, Lacan já havia iniciado o referido seminário, no qual ele teria como meta abordar o desejo e o lugar de Freud na constituição da psicanálise. Segundo Askofaré (2013), esse nome traria consigo mais de uma dimensão, pois não somente trataria do desejo de Freud como fundamento (ou significante primordial, se retomarmos os

58 A CIÊNCIA NA PSICANÁLISE: EVITANDO EQUÍVOCOS

desenvolvimentos lacanianos sobre o *nome-do-pai*), mas também tocaria num ponto de conflituosa relação entre religião e ciência, de modo que se poderia reconhecer em Freud uma substituição um tanto idealizada de uma pela outra – de maneira que a ciência ocuparia, em alguns momentos, uma posição de garantia da verdade. Esse seminário, contudo, foi interrompido, e a retomada das atividades, alguns meses depois, foi realizada a partir do exame dos *Conceitos fundamentais de psicanálise*.

É interessante notar que, justamente no início dessa retomada, Lacan localiza a questão da ciência como um norteador (algo que, entretanto, manteria uma relação com o ensejo original do seminário sobre *O nome-do-pai*), embora não como uma referência absoluta, mas com seu lugar de garantia da verdade já deslocado – o que pode se reconhecer no questionamento pouco usual sobre qual ciência seria adequada à psicanálise (Lacan, 1964/1973). Além disso, uma questão que a princípio poderia parecer contingencial, a mudança de local do seminário, parece também poder ter certa influência na retomada do embate com a ciência, uma vez que o novo lugar de transmissão, a Escola de Estudos Superiores, não era uma instituição psicanalítica e as sessões começaram, então, a ser frequentadas por pessoas de outras áreas:

> *Vou começar as coisas do começo, dizendo que o discurso que sustento aqui tem duas visadas: uma que concerne aos analistas, a outra aos que aqui estão para saber se a psicanálise é uma ciência.*
>
> *A psicanálise não é nem uma Weltanschauung nem uma filosofia que pretende dar a chave do universo. Ela é comandada por uma visada particular, que é historicamente definida pela elaboração da noção de sujeito. Ela situa essa noção de uma forma nova, ao reconduzir o*

sujeito à sua dependência significante. (Lacan, 1964/1973, p. 90, tradução nossa)

Segundo Askofaré, nesse fato residiria a importância de se construir outro tipo de embasamento para as questões apresentadas, uma vez que poder encontrá-las na clínica não teria mais o efeito de argumento de autoridade que tinha antes. Dessa maneira, Lacan teria perdido certa comodidade da partilha da clínica com seu público e a retomada da questão da ciência seria um modo de contornar os problemas resultantes desse possível desencontro. Não obstante, nesse momento, Lacan começa a apresentar o seu próprio ensino, introduzindo consequências da lógica do significante, o paradigma RSI e o objeto *a*.

> *A ciência é, portanto, no campo dos discursos e dos saberes, o acontecimento sem igual a partir do qual Lacan reconsidera a psicanálise: seus fundamentos, sua estrutura, sua lógica, seu fim e suas finalidades, sua ética, o desejo requerido ao agente da sua operação. Logo, não se trata, em nada, de uma "recriação filosófica" ou epistemológica que Lacan se teria ofertado para se consolar da interrupção do seu Seminário sobre os Nomes-do-Pai. De fato, Lacan só faz é prosseguir, de uma certa maneira – num outro terreno e com outras referências –, com sua interrogação sobre os Nomes-do-Pai nesse Livro 11 do Seminário: "O que eu tinha pra dizer sobre os Nomes-do-Pai não visava a nada além, com efeito, de colocar em questão a origem, a saber: por qual privilégio o desejo de Freud tinha podido encontrar, no campo da experiência que ele designa como o inconsciente, a porta de entrada. Remontar a essa origem é totalmente*

essencial, caso queiramos fazer a análise parar em pé".
(Askofaré, 2013, p. 28, tradução nossa)

Além destas questões já citadas, há também outra indicação bastante interessante, feita por Moustapha Safouan (2013). Segundo o autor, a retomada do projeto "científico" teria também a função de criticar um modelo de transmissão excessivamente endogâmico presente na Associação Internacional de Psicanálise. Dessa maneira, haveria uma espécie de ataque lacaniano à instituição, com a qual ele se via em conflito, e, curiosamente, algo próximo de críticas realizadas no momento de fundação da própria IPA – quando alguns psicanalistas, como Tausk, apontaram o risco de se perpetuar um funcionamento demasiadamente fechado na transmissão da psicanálise. Desse modo, a retomada da ciência seria uma tentativa de abertura, de instauração da circulação de saberes e debates possivelmente estranhos à tradição, mas não necessariamente infrutíferos. No entanto, como aponta Safouan, este mesmo espírito teria se perdido nas posteriores institucionalizações desta psicanálise não mais filiada à Associação Internacional, mas não por isso menos endogâmicas.

A ciência e a verdade

Dois anos depois, Lacan inicia seu seminário sobre *O objeto da psicanálise*, do qual, como já indicado, resulta o texto "A ciência e a verdade" (1966/1998). Neste texto, apresenta-se com clareza uma abordagem radicalmente diferente da questão, não mais centrada em um esforço de estabelecimento de partilha de um mesmo campo, mas na defesa da autonomia da psicanálise em relação à ciência:

E lembremos que se, certamente, levantar agora a questão do objeto da psicanálise é retomar a questão que

> *introduzimos a partir de nossa vinda para esta tribuna,*
> *pela posição da psicanálise, dentro ou fora da ciência,*
> *indicamos também que essa questão não pode ser resol-*
> *vida sem que, sem dúvida, modifique-se nela a questão*
> *do objeto da ciência como tal. (Lacan, 1966/1998, p. 877)*

Esse texto, como nos indica Askofaré, apresenta certa continuidade ao raciocínio freudiano contido em "A questão de uma *Weltanschauung*", o que vemos na proposta lacaniana de categorizar diferentes maneiras de tratamento da verdade a partir de quatro práticas sociais que se baseiam em diferentes modos de construção de tratamento da verdade: a ciência, a religião, a magia e a psicanálise. É interessante o fato de Lacan iniciar sua argumentação pela necessidade da constituição da ciência moderna para que a psicanálise pudesse emergir enquanto prática:

> *Dizemos, ao contrário do que se inventa sobre um pretenso rompimento de Freud com o cientificismo de sua época, que foi esse mesmo cientificismo – se quisermos apontá-lo em sua fidelidade aos ideais de um Brücke, por sua vez transmitidos pelo pacto através do qual um Helmholtz e um Du Bois-Reymond se haviam comprometido a introduzir a fisiologia e as funções de pensamento, consideradas como incluídas neles, nos termos matematicamente determinados da termodinâmica, quase chegada a seu acabamento em sua época – que conduziu Freud, como nos demonstram seus escritos, a abrir a via que para sempre levará seu nome.*
>
> *Dizemos que essa via nunca se desvinculou dos ideais desse cientificismo, já que ele é assim chamado, e que a marca que traz deste não é contingente, mas lhe é essencial. (Lacan, 1966/1998, p. 871)*

Neste duplo movimento de aproximação e separação da psicanálise com a ciência, o texto em questão apresenta uma reflexão extremamente profunda, que reúne uma série de desenvolvimentos que vinham sendo realizados nos seminários precedentes e que tomam uma forma contundente nessa comunicação. Ademais, como apontado anteriormente, esse texto é uma referência central no tema trabalhado neste livro, por sua argumentação complexa e por tratar de maneira frontal uma temática que aparece "pelas beiradas" em diversos momentos do ensino de Lacan. Desse modo, dedicaremo-nos a uma leitura detida, para que a discussão posterior possa se estabelecer em uma base sólida.

Como indicado anteriormente, Lacan aponta a necessidade da ciência moderna para a emergência da psicanálise, e não somente em relação à racionalidade, mas também pelo fato de que o sujeito da ciência seria o mesmo da psicanálise. Contudo, o autor faz uma distinção fundamental ao indicar que é sobre o sujeito da ciência que opera a psicanálise, isso não significa se tratar de uma noção hipertrofiada de sujeito, tampouco de uma noção positivada de homem.

> *Que é impensável, por exemplo, que a psicanálise como prática, que o inconsciente, o de Freud, como descoberta, houvessem tido lugar antes do nascimento da ciência, no século a que se chamou século do talento, o XVII – ciência, a ser tomada no sentido absoluto no instante indicado, sentido este que decerto não apaga o que se instituíra antes sob esse mesmo nome, porém que, em vez de encontrar nisso seu arcaísmo, extrai dali seu próprio fio, de uma maneira que melhor mostra sua diferença de qualquer outro.*
>
> *Uma coisa é certa: se o sujeito está realmente ali, no âmago da diferença, qualquer referência humanista a*

ele torna-se supérflua, pois é esta que ele corta de imediato. (Lacan, 1966/1998, p. 871)

Lacan afirma, ao contrário, não existir o homem da ciência, mas somente seu sujeito. Nesse ponto, ressalta-se a distância da psicanálise com a psicologia – especialmente nas tentativas de definição do homem como algo objetificável – e aponta-se, ao contrário, que "O sujeito está, se nos permitem dizê-lo, em uma exclusão interna a seu objeto" (Lacan, 1966/1998, p. 875). Ademais, o ponto de distanciamento principal é colocado já no início do texto e diz respeito justamente a duas facetas deste sujeito que psicanálise e ciência partilham (o sujeito cartesiano): a distinção entre saber e verdade. Segundo o autor, pode-se pensar que, como em uma banda de Moebius, teríamos uma fita em que saber e verdade se ligam e se separam.

De fato, o modo de consideração da *verdade como causa* nas diferentes construções anteriormente citadas (magia, religião, ciência e psicanálise) será o ponto escolhido por Lacan para tratar de suas diferenças, indicando que ciência, religião e magia partilhariam a negação da verdade como causa, enquanto a psicanálise dela se ocuparia. Esse modo de abordagem é especialmente interessante ao se considerar o apontamento de que a psicanálise também opera com o sujeito da ciência, indicando, então, modos distintos de se tratar algo presente no mesmo sujeito. Para isso, entretanto, é necessário entender qual o percurso que leva o autor a essa consideração. Dessa maneira, primeiramente, iremos nos ater à influência de Koyré no pensamento de Lacan, uma vez que é a principal referência utilizada pelo psicanalista.

É interessante notar que o fato em si de se considerar a existência de uma ciência moderna, apresentando-a como produto de uma ruptura em relação a um momento de organização epistêmica anterior, consistia num debate acalorado do qual Koyré participou. De acordo com certos autores da história da ciência, especialmente

64 A CIÊNCIA NA PSICANÁLISE: EVITANDO EQUÍVOCOS

Crombie (com quem Koyré dialoga em alguns textos centrais), não faria sentido considerar que houve uma ruptura entre a "ciência medieval" e a "ciência moderna", uma vez que o traço característico da ciência – a saber, o método experimental – já havia sido elaborado e era frequentemente discutido muito antes do século XVI (Koyré, 1966/2011). Essa afirmação é historicamente correta, a não ser por uma imprecisão justamente no ponto em que história e filosofia da ciência se entrecruzam: de fato, já havia um método estabelecido, com bases experimentais bastante próximas do que se veria posteriormente – nesse sentido, não há por que pensar em uma ruptura; contudo, a caracterização do método experimental como traço distintivo do conhecimento científico é incorreta, e, como defende Koyré, a organização do conhecimento passará por uma mudança radical, de modo que não haveria razão para se pensar num continuísmo.

Conforme aponta Koyré,

> a maneira pela qual Galileu concebe um método científico correto implica uma predominância da razão sobre a simples experiência, a substituição de uma realidade empiricamente conhecida por modelos ideais (matemáticos), a primazia da teoria sobre os fatos. (Koyré, 1966/2011, p. 77)

Nesta citação, vemos o que caracteriza essa mudança: a teoria passa a ter um papel soberano, preponderante sobre a experiência, que, por sua vez, deve ser pensada de acordo com o que o conhecimento abstrato trabalha. Como autor inaugural dessa nova concepção, Koyré aponta Galileu, mas não deixa também de notar a importância de Descartes e de outros pensadores para que isso fosse possível.

Segundo o autor, essa mudança de paradigma depende do desenvolvimento de inúmeras ideias sobre o homem e o universo, de modo que ele destaca a centralidade que os estudos astronômicos têm na estruturação de outro modelo explicativo, pois, ao postularem a possibilidade de que Terra não fosse o centro do universo (entre outras questões disto decorrentes), criou-se a demanda de outro sistema conceitual que desse conta de um mundo não mais completamente subordinado a uma visão religiosa (Koyré, 1957/ 2006). Entrar nesses desenvolvimentos seria um desvio significativo de nosso tema, de modo que passaremos à influência mais direta que Koyré reconhece em Galileu e Descartes nesse processo.

Para Koyré, é Descartes quem estabelece as bases metafísicas sobre as quais esse novo modo de conhecer pode se sustentar. Seria justamente a postulação de um conhecimento verdadeiro – que, para além da descrição, torne o homem o mestre e senhor da natureza – que estaria na base de tal revolução. Assim, o *cogito* cartesiano seria o exemplo último da validade do conhecimento formal: aquele que sobrevive a todas as enganações possivelmente presentes nas explicações atribuídas aos fatos da percepção – modelo a partir do qual outro modo de conhecer pode se estruturar. Vê-se aí, no ápice de um pensamento racional abstrato que se propõe a tratar questões puramente formais, o embrião do modo de produção do conhecimento científico – conhecimento este que, para que possa se estabelecer, deve renunciar a qualquer predicado que não responda, em última instância, à necessidade interna do pensamento formal. Por outro lado, encontra-se também o paradoxo – que tentamos tratar neste texto – que circunda justamente a possibilidade de se estabelecer um conhecimento científico sobre aquilo que escapa à razão.

Voltando à emergência da ciência moderna, não devemos considerar, todavia, que Koyré despreze a importância dos experimentos. Ao contrário, eles ocupam um lugar necessário nesse modelo, justamente como possibilidade de verificação da teoria – o que o autor denominará como *experimentação*, em oposição à primazia de uma experiência ateórica presente nos desenvolvimentos medievais. Como aponta o autor, "não foi a *experiência*, mas a *experimentação* que impulsionou seu crescimento (da ciência) e favoreceu a sua vitória. O empirismo da ciência moderna não repousa na experiência, mas na experimentação" (Koyré, 1966/2011, p. 302, grifos do autor).

66 A CIÊNCIA NA PSICANÁLISE: EVITANDO EQUÍVOCOS

Embora o autor se preocupe em clarificar a subordinação dos dados empíricos ao conhecimento abstrato, estes continuam a ocupar uma posição de destaque, pois também representam a possibilidade de que se tenha um controle sobre o conhecimento produzido, de que este não responda a divagações ou abstrações incorretas. É justamente nessa combinação que se destacam os trabalhos de Galileu, como exemplo de um pesquisador que construiu modelos de investigação a partir da teoria que visava desenvolver:

> *Com efeito, se uma experiência científica – como Galileu tão bem exprimiu – constitui uma pergunta formulada à natureza, é claro que a atividade cujo resultado é a formulação dessa pergunta é função da elaboração da linguagem na qual essa atividade se exprime. A experimentação é um processo teleológico cujo fim é determinado pela teoria. (Koyré, 1966/2011, p. 302)*

Além do astrônomo e físico italiano, Koyré apresenta descrições bastante detalhadas de como esse novo modelo é essencial para o pensamento científico, permitindo progressos até então desconhecidos.[6] Diante dessa concepção bastante consistente, Koyré é claro:

> *Para mim, não creio na interpretação positivista da ciência – nem mesmo na de Newton –, a história brilhante contada por Crombie contém uma lição bem diferente: o empirismo puro – e mesmo a "filosofia experimental" – não conduz a parte alguma. E não é renunciando ao objetivo aparentemente inacessível e inútil do conhecimento*

---

6 Conferir (Koyré, 1966/2011). Em especial no capítulo "Uma experiência de medida", Koyré demonstra a necessidade de uma experimentação subordinada à experiência no pensamento científico.

> *do real, mas, pelo contrário, é perseguindo-o com ousadia que a ciência progride na via infinita que leva à verdade. Por conseguinte, a história dessa progressão da ciência moderna deveria ser dedicada a seu aspecto teórico, pelo menos tanto quanto a seu aspecto experimental. (Koyré, 1966/2011, p. 80)*

Pode-se estabelecer com clareza, assim, as bases que Koyré define para a distinção do conhecimento científico moderno, ressaltando-se a importância do trabalho formal para o desenvolvimento do conhecimento e a importância da experimentação na validação do conhecimento produzido. Entretanto, não se deve tomar por ingênua sua concepção de real ou de verdade, como nos indica Ana Beatriz Freire:

> *Se Koyré, com Lacan, chama atenção para o aspecto imaginário, metafísico da constituição de uma teoria simbólica qualquer, incluindo a científica, ele não deixa de considerar a dimensão real que escapa a essa estrutura. Podemos dizer que a famosa tese de Lacan do "real como impossível" já se encontra presente nos estudos de Koyré sobre a ciência. Koyré mostra, nesse sentido, que a impossibilidade é inerente à própria constituição da ciência. Através de suas fórmulas criou um mundo ideal, teórico, muito distante do mundo empírico. (Freire, 1996, p. 27)*

Podemos reconhecer, nessa breve apresentação, o contexto que Lacan reconhece como necessário para a emergência da psicanálise em sua faceta epistemológica. Como vimos, é nesse tipo de racionalidade inaugurado por Galileu – que, de alguma forma, moldou o pensamento de autores que tiveram grande influência em Freud – que a psicanálise poderá se constituir enquanto disciplina. Contudo, há ainda uma outra faceta necessária a essa emergência, que diz respeito não somente a questões de método, mas a transformações na própria experiência do sujeito – faceta esta que Lacan reconhece como proveniente das transformações causadas por Descartes.

> *Assim, não esgotei o que concerne à vocação de ciência da psicanálise. Mas foi possível notar que tomei como fio condutor, no ano passado, um certo momento do sujeito que considero ser um correlato essencial da ciência: um momento historicamente definido, sobre o qual talvez tenhamos de saber se ele é rigorosamente passível de repetição na experiência: o que foi inaugurado por Descartes e que é chamado de* cogito. *(Lacan, 1966/1998, p. 870)*

Profundamente influenciado pela obra de Koyré, Lacan apresenta uma leitura bastante interessante sobre o alcance das consequências discursivas da operação cartesiana sobre o sujeito. Segundo o psicanalista, Descartes inaugura uma nova concepção de sujeito (também referido como sujeito da ciência) a partir de sua dúvida hiperbólica: a dúvida levada às últimas consequências, até mesmo ao questionamento se não haveria qualquer engano no fato mesmo de que o sujeito pense. De modo demasiadamente rápido, pode-se dizer que esse tipo de questionamento que chegou ao *cogito* (penso, logo existo) é abordado por Lacan de duas maneiras: tanto como um esvaziamento do sujeito de qualquer identificação quanto como condição de existência, no sentido de que seria a partir de uma valorização tão marcada do pensamento que seria possível abordar (escutar) aquilo que fala para além da consciência.

Nesse sentido, um primeiro momento seria marcado simplesmente pelo fato de que, ao duvidar de tudo, teríamos como efeito um esvaziamento de qualquer identificação até então estabelecida. A dúvida hiperbólica produziria, assim, um sujeito vazio, que garantiria sua existência somente pelo fato de que, mesmo que se engane ao pensar que pensa, ainda assim estaria pensando – o que provaria sua existência. "Entretanto, não é o valor metódico da dúvida que interessa à analogia feita por Lacan entre o sujeito cartesiano, o sujeito da ciência e o sujeito da psicanálise, mas sim o valor de destituição subjetiva que esta dúvida acarreta" (Freire, 1996, p. 40). Em outras palavras, esse processo produziria um sujeito desprovido de significação, e este seria o ponto central da leitura do psicanalista: seria o sujeito sobre o qual também opera a psicanálise. Como continua Lacan:

> Esse correlato, como momento, é o desfilamento de um rechaço de todo saber, mas por isso pretende fundar para o sujeito um certo ancoramento no ser, o qual sustentamos constituir o sujeito da ciência em sua definição, devendo este termo ser tomado no sentido de porta estreita. (Lacan, 1966/1998, p. 870)

Deve-se lembrar que esse tema aparece em diversos pontos tanto de "A ciência e a verdade" como de outros momentos do ensino de Lacan.[7] No texto em questão, Lacan faz uma rápida referência a Heidegger e sua "algebrização" do *cogito*, com a qual ele concorda em parte, na medida em que também não vê uma relação de subordinação entre o ser e o pensar. Trata-se, nessa algebrização, de uma consideração de igualdade de valor entre os termos *cogito* e *sum*, defendendo que o *ergo* não aponta para uma relação de subordinação – algo como "se penso, então o ser é uma consequência" –, mas, sim,

---

7 Como em sua "releitura" do *cogito* no seminário sobre *O ato analítico*, articulada às operações de alienação e separação, quando postula o "sou onde não penso" e "penso onde não sou".

70 A CIÊNCIA NA PSICANÁLISE: EVITANDO EQUÍVOCOS

de horizontalidade, pois o *cogito* teria o *sum* enquanto pressuposto.[8] Ele aponta, contudo, que o termo omitido por Heidegger em seu *cogito sum*, o *ergo*, o *logo*, é justamente o termo que será o centro da singularidade da psicanálise em relação ao pensamento cartesiano, pois, segundo ele, o *ergo* diz respeito à causa, "à causa de todas as coisas":

> *Se cogito sum nos é fornecido por Heidegger em algum lugar, para suas finalidades, convém observar que ele algebriza a frase, e temos o direito de dar destaque a seu resto: cogito ergo, onde se evidencia que nada é falado senão apoiando-se na causa. (Lacan, 1966/1998, p. 879)*

Voltaremos à questão da causa na próxima seção ("Divisão do sujeito: verdade e saber"), pois ainda há um ponto extremamente importante a salientar em relação a Descartes. Embora se trate do mesmo sujeito, há uma distância radical. Deve-se notar que, mesmo que Descartes tenha conseguido sustentar um ancoramento da existência no pensar, isso não significa que ele tenha, de fato, estabelecido uma comprovação de correspondência indubitável entre o pensamento e o mundo. Para tanto, Descartes recorre a um Deus bom, não enganador, que serviria como garantia da verdade no pensamento. Nesse sentido, seria como uma consequência do *cogito* podermos encontrar uma primeira divisão entre saber e verdade:

---

8 Conteúdo desenvolvido por Heidegger em seu curso sobre Nietzsche, mais especificamente em seu capítulo sobre o niilismo europeu. Em sua leitura, Heidegger defende uma tradução mais ampla do termo *cogito*, que não significaria somente pensar, mas também representar – ação que, segundo ele, não seria dissociável do ser. Lacan também chega, por sua vez, a um *cogito sum* radicalmente diferente do de Heidegger em seus desenvolvimentos das operações de alienação e separação. Parece-nos, entretanto, que a referência a Heidegger não exerce nada além da função de disparador do debate sobre a causa – este, sim, central no texto em questão.

> Sabemos que é, portanto, em um Outro, em Deus, como instância supostamente infinita e perfeita, que Descartes vai buscar a garantia de verdade do pensamento. Nesta distância entre a certeza própria do pensar e a verdade como supostamente pertencente a uma instância fora do pensamento, Descartes introduz, pela primeira vez, no campo do pensamento, a dicotomia, tão cara à psicanálise, entre saber e verdade. (Freire, 1996, p. 41)

O que interessa a Lacan nesse ponto é justamente isto que, de alguma forma, é relegado a Deus. Afinal, isto que resta do saber, isto que fala como estranho, não previsto e assimilado, isto dará origem à psicanálise. Como aponta Lacan,

> é por isso mesmo que o inconsciente que a diz [a verdade], o verdadeiro sobre o verdadeiro, é estruturado como linguagem; e é por isso que eu, quando ensino isso, digo o verdadeiro sobre Freud – que soube deixar, sob o nome de inconsciente, que a verdade falasse. (Lacan, 1966/1998, p. 882)

Essa verdade inconsciente, articulada ao *cogito* – na medida em que só a partir de tal hegemonia do pensamento racional é que o inconsciente poderia ser ouvido –, é a que se dedica a psicanálise. Encontramos, assim, uma questão central: a divisão do sujeito – trabalhada por Lacan em "A ciência e a verdade" com ênfase na divisão entre verdade e saber.

Divisão do sujeito: verdade e saber

A divisão do sujeito e a separação de verdade e saber são questões incontornáveis ao se tratar de qualquer diálogo da psicanálise com a epistemologia ou filosofia da ciência. Isso acontece porque o modo como Lacan desenvolve seu pensamento apresenta uma relação de separação e aproximação entre os dois termos, retratada a partir da banda de Moebius: verdade e saber teriam uma certa indistinção – um ponto, no infinito, em que se tocam; entretanto, em recortes precisos, sempre se encontrariam enquanto opostos. Indica-se, desse modo, que a verdade seria justamente aquilo que resta do saber, o saber não realizado – como indicado anteriormente sobre a presença dessa ideia já em Koyré. Mas, para além disso, também pode-se pensar a verdade enquanto aquilo que resiste ao saber, como nos indica Iannini:

> não há recobrimento total do real pelo simbólico: toda formalização encontra um limite. Da tese da possibilidade de tratamento do real pelo simbólico não decorre que todo o real possa ser reduzido ao simbólico. Outra forma de dizer, agora no registro propriamente epistemológico, que a verdade enquanto tal resiste ao saber. *(2012, p. 216, grifo do autor)*

Inicialmente, Lacan usa o termo *verdade* para traduzir o *Wunsch* freudiano, o desejo inconsciente enquanto incapturável. "Logo, a verdade é desejo, ou, mais exatamente, o desejo inconsciente é a verdade do sujeito" (Askofaré, 2013, p. 279). Consequentemente, não se observa uma possibilidade de relação direta entre verdade e saber, razão que "está, muito simplesmente, no fato de que a inscrição não se grava do mesmo lado do pergaminho quando vem da impressora da verdade ou da do saber" (Lacan, 1966/1998, p. 878).

Mais que isso, sabemos que Freud indicara, explicitamente, que a psicanálise reintroduziria a questão da verdade no campo científico. Desse modo, podemos estabelecer que – se, como vimos anteriormente, a produção do sujeito cartesiano como modo fundamental de experiência é marcada pela divisão entre saber e verdade, e se esse sujeito seria necessário à emergência da ciência moderna – a ciência em si teria como traço, também, essa separação e, frente a ela, colocaria em seu centro o saber – enquanto a verdade ficaria, de algum modo, rejeitada no discurso. Assim, vê-se a dimensão de tal pretensão: reintroduzir a verdade na ciência implica, no limite, não apenas uma questão de objeto, mas um posicionamento que incide verticalmente na racionalidade e no discurso científico.

> *Assim, ao operar sobre o sujeito sem qualidades e sem consciência de si, correlato antinômico da ciência moderna, a psicanálise é, a um tempo, prova e efeito do corte da ciência. Lacan não pretende submeter a psicanálise a qualquer método científico preexistente, tampouco colocá-la sob a dependência de uma disciplina piloto qualquer, ou seja, de nenhuma linguagem de "tipo superior" tida como capaz de discernir os conteúdos de verdade das teses psicanalíticas. A rigor, nenhuma ciência pode funcionar em posição de metalinguagem para a psicanálise. (Iannini, 2012, p. 215)*

Não somente nenhuma ciência pode funcionar como metalinguagem para a psicanálise, mas também Lacan irá apontar a inexistência da metalinguagem em si – pois, uma vez que a verdade seria justamente aquilo que resiste, que escapa ao saber, tampouco seria possível estabelecer um discurso que determine a veracidade de outro discurso. Em outras palavras, uma vez que a verdade não se coloca enquanto uma questão de adequação do saber em relação ao real – mas, ao contrário, ela estaria lá justamente para além do limite do saber –, não há sentido em se tentar estabelecer um discurso que sirva como garantia do verdadeiro:

> *Isso quer dizer, muito simplesmente, tudo o que há por dizer da verdade – da única –, ou seja: que não existe metalinguagem (afirmação feita para situar todo lógico--positivismo); que nenhuma linguagem pode dizer o*

74 A CIÊNCIA NA PSICANÁLISE: EVITANDO EQUÍVOCOS

> *verdadeiro sobre o verdadeiro, uma vez que a verdade*
> *se funda pelo fato de que fala, e não dispõe de outro*
> *meio para fazê-lo. (Lacan, 1966/1998, p. 882)*

Esta afirmação do psicanalista nos interessa por alguns motivos. Primeiramente, vemos uma crítica ao positivismo lógico, ao Círculo de Viena, que será retomada e minunciosamente desenvolvida por Joël Dor em seu *A-cientificidade da psicanálise* (1988a, 1988b). Retomemos, rapidamente, alguns pontos apresentados na Introdução. Se entendemos o positivismo lógico enquanto uma tentativa de estabelecer as condições de produção e avaliação sobre o caráter de verdade de um discurso – sendo a verdade aqui tratada enquanto única, relação biunívoca entre discurso e real –, temos, de fato, na postulação da inexistência da metalinguagem, uma crítica contundente a uma das expressões historicamente mais relevantes do pensamento epistemológico.

> *Como conciliar os imperativos implicados pela* Spaltung *com a estruturação de um discurso que deve enunciar, sempre que possível, de um modo "científico" qualquer coisa ligada à própria dimensão da subjetividade? É nesse sentido que a questão da cientificidade analítica aparece estritamente indissociável da problemática do sujeito do conhecimento principalmente do* sujeito da ciência *e da relação que esse sujeito estabelece com o objeto a ser cientificizado, na construção dos enunciados científicos. (Dor, 1988a, p. 152; grifos do autor; tradução nossa)*

Como nos indica Dor, a via aberta pela psicanálise traria um modo singular de tratamento "epistemológico" do inconsciente: a saber, não somente como aquilo que escapa ao pensamento, mas como manifestação de uma divisão constitutiva do sujeito, que colocaria em uma relação de pertencimento e exclusão os termos saber e verdade.

> *Recolocar o problema do "estatuto" epistemológico da teoria analítica sobre a* Spaltung *é recolocá-lo sobre isso que ela inaugura irremissivelmente na ordem de um discurso, de uma mediação onde o sujeito se presta, involuntariamente, a um desvio inevitável da verdade do que ele enuncia. (Dor, 1988a, p. 15, tradução nossa)*

Assim, a psicanálise teria como efeito a constatação da impossibilidade de tal projeto (lógico-empirista). Segundo o autor, as tentativas de realização do estabelecimento do "verdadeiro sobre o verdadeiro" seriam, inevitavelmente, operações de sutura do sujeito, de negação de sua divisão. Indicar uma certa intencionalidade de negação da divisão subjetiva, como pretendida nos projetos do círculo de Viena, parece-nos um tanto exagerado; no entanto, não nos ateremos à crítica deste excesso, uma vez que ela já foi feita (Beividas, 2000) de modo, digamos, não menos extremado.[9]

Deve-se notar, entretanto, que mesmo que a crítica à metalinguagem seja extremamente válida e contundente, de modo algum ela parece ser um elemento central do texto. Mais que isso, ao falar de positivismo lógico, Lacan não realiza qualquer tipo de generalização deste como elemento definidor do pensamento científico, o que nos

---

9 Se Dor (1988a, 1988b) chega mesmo a tratar certos pontos de autores do empirismo lógico, em especial Carnap, como respondendo, em suas construções teóricas, a uma resistência à psicanálise, Beividas (2000) utiliza termos como "fobia" para falar da relação de certos psicanalistas com a ciência. Não deixa de ser interessante o modo como esse tema cativa aqueles que dele se ocupam, muito embora me pareça que poderíamos ter um debate mais produtivo se esses excessos fossem evitados. Ao menos é o que tentamos fazer neste livro.

76　A CIÊNCIA NA PSICANÁLISE: EVITANDO EQUÍVOCOS

indica que não se trata de sua referência epistemológica ou de seu interlocutor no texto em questão. Esse comentário se justifica não somente pelo fato de que, apesar disso, Dor dedica uma extensa parte de sua obra à crítica do empirismo lógico,[10] mas também por indicar que a concepção de ciência utilizada por Lacan não é assim tão simples.

Finda esta breve consideração sobre a metalinguagem, voltemos à questão da verdade. Vemos que Lacan dá um passo a mais em "A ciência e a verdade" (1966/1998), ao indicar não somente a verdade como oposição e resistência ao saber, mas também ao invocar, especialmente, sua dimensão de causa. Este tipo de consideração da verdade, ancorado diretamente na clínica psicanalítica, não deixa também de explicitar um posicionamento ético, ao questionar se, "sim ou não, isso que vocês fazem tem o sentido de afirmar que a verdade do sofrimento neurótico é ter a verdade como causa?" (Lacan, 1966/1998, p. 885).

Aqui, devemos fazer uma breve consideração, pois o uso do termo *causa* também não é sem efeitos. De fato, a questão da causalidade habitou o centro do debate epistemológico desde a emergência da ciência moderna, sendo um aspecto privilegiado em autores como Galileu, Descartes, Newton, Leibniz, Hume e Kant. Entretanto, não nos cabe aqui um aprofundamento nessa história, que é, em si, tema de diversas pesquisas. Faremos apenas alguns comentários para situar o alcance dessa escolha de Lacan.

---

10 Não podemos deixar de considerar que, embora na filosofia da ciência o empirismo lógico seja considerado mais por seu valor histórico do que como uma referência útil para a discussão contemporânea, isso não significa que ele tenha desaparecido da cultura. Ao contrário, é surpreendente ver como alguns ideais positivistas parecem persistir enquanto uma definição de ciência assimilada ideologicamente. Parece-nos, contudo, outro campo de discussão, no qual um trabalho epistemológico como o realizado por Dor não surte efeitos.

Segundo Yakira (1994), a questão da causa é retomada por Galileu a partir de uma oposição franca à teoria das causas de Aristóteles, que defendia que os acontecimentos deveriam ser entendidos a partir de quatro causas: final, formal, eficiente e material. Entretanto, a consideração de todas essas formas causais é rejeitada por pensadores modernos, por reconhecerem, especialmente nas causas final e formal, uma questão demasiadamente metafísica – que não contribuiria para a explicação dos fenômenos e também não seria sustentável a partir de aproximações com a realidade. Em outras palavras, explicar o motivo da existência da lei da gravidade (causa final) envolve uma explicação metafísica (planos de Deus, por exemplo) e não contribui para uma explicação do fenômeno em si (como os objetos caem?). É nesse sentido que Yakira aponta que Galileu mostra certo ceticismo em relação a descobrir as verdadeiras causas de um fenômeno, tendendo, assim, para uma causalidade mecânica:

> *Ao contrário, a relação entre causa e efeito é funcional na medida em que Galileu não fala da causalidade como de uma força ou de uma capacidade de geração, mas como uma correlação entre dois eventos ou dois fatos. Certamente o efeito é aquele que segue, mas trata-se de uma ligação ou uma correspondência biunívoca entre duas grandezas igualmente observáveis e mensuráveis. (Yakira, 1994, p. 10, tradução nossa)*

Dessa forma, pode-se estabelecer que a causalidade continua a ser um princípio fundamental na ciência de Galileu, ao qual ele jamais haveria renunciado. Entretanto, como vemos, a causalidade é entendida de um modo específico, mecânico, sobre a relação existente entre dois eventos. Mais do que isso, existiria uma grande centralidade da causalidade mecânica no pensamento da época, fato

78 A CIÊNCIA NA PSICANÁLISE: EVITANDO EQUÍVOCOS

corroborado pela importância dada também por Descartes, que considerava que somente se pode pensar que alguma coisa acontece caso seja possível notar alguma mudança (ou movimento) – e se há movimento, há causalidade. Desse modo,

> *A causalidade é um conceito de dupla face, de um lado, constituindo um elemento fundamental da realidade "objetiva", existindo em si e independentemente do espírito que conhece, e, do outro lado, determinando as modalidades da racionalidade científica: uma coisa torna-se racionalmente conhecida quando se conhece sua causa ou suas causas; ou, em termos ainda menos "realistas", uma vez que uma explicação causal é dada. É necessário então distinguir, em toda a concepção da causalidade, o lado objetal, ou uma certa representação disso que se passa "realmente" nas coisas, e o lado metodológico, determinando a forma que a teoria deve tomar. A causalidade é tanto uma representação quanto um modelo e um princípio explicativo. (Yakira, 1994, p. 25, tradução nossa)*

No entanto, sabe-se que Descartes não desconsidera os esforços de produzir explicações para fatos que vão muito além da relação entre os fenômenos, de modo que não deixa de tentar compreender a origem das coisas, garantindo sempre um lugar para a metafísica em suas discussões. Contudo, é nesse ponto que autores como Newton se opõem, defendendo que a ciência deve se limitar a falar daquilo que pode ser explicado sobre a natureza, enquanto explicações metafísicas seriam desenvolvimentos imaginários. Nesse sentido, postula-se um conhecimento operacional e descritivo, com o qual a matemática ganha grande importância por oferecer modelos de formalização e possibilitar certa independência de discussões metafísicas. Seria, então, uma ciência mais preocupada em explicar o *como* do que o *porquê*; entretanto, não necessariamente menos preocupada com a causalidade:

> *Não mais que os cartesianos, Newton não renunciou à ambição de explicar a realidade material, ou a convicção de que a explicação ou a compreensão dos fenômenos passava pelo conhecimento de suas causas. Como eles, rejeitou a teoria aristotélica da causalidade e aceitou o modelo mecânico. Contudo, ao invés de sempre procurar as representações da ação mecânica das causas, ele mostrou que, lá onde essa pesquisa é impossível, uma expressão matemática da estrutura causal das coisas é possível – e, sobretudo, que essa expressão permite o entendimento. Ao invés de uma negação da causalidade, a matematização da ciência que ele efetuou é, ao mesmo tempo, uma matematizaçao da causalidade. (Yakira, 1994, p. 69, tradução nossa)*

Entretanto, essa matematização da causalidade não é sem efeitos: mais do que a simples substituição de uma causalidade mecânica por uma causalidade matemática, encontra-se em Newton a ideia de que esta última não responde, necessariamente, à estrutura dos eventos em si, mas, sim, a um modo de apreensão dos fenômenos. Vemos, desse modo, que a matematização da causa tem efeitos epistemológicos, pois a causalidade passa a ser encarada mais como um elemento da racionalidade científica do que como um dado objetivo da realidade.

Contudo, essa concepção de causalidade também será duramente criticada, em especial pelo ceticismo de Hume, a partir do reconhecimento de que dois eventos que se mostram encadeados não implicam que possamos compreender uma relação causal entre eles, mas somente afirmar uma contiguidade. O laço necessário entre os dois eventos seria, entretanto, inacessível, de modo que o conhecimento sobre a causa (o qual ele localiza como fundamento da racionalidade científica) seria sempre artificial, nunca adequado à realidade.

Frente a essa crítica rigorosa, o autor que se encarrega da reabilitação da noção de causalidade é Kant. Isso é feito a partir da consideração da causalidade não como algo que diz respeito às coisas em si, mas como uma categoria do pensamento necessária à construção de uma racionalidade. Nesse sentido, não se trata do estabelecimento da relação entre os eventos, mas da possibilidade de reconhecimento de que alguma mudança tenha acontecido e dos modos pelos quais se pode pensar sobre isso.

> ... encontramos essa lei geral da experiência: todas as mudanças acontecem segundo a lei de ligação da causa e do efeito. Nenhuma mudança se efetua se não está em conformidade com uma lei causal qualquer, que determina qual é a causa e qual é o efeito. É em tais leis que está o fundamento de nossos raciocínios pelos quais, uma vez encontrado o efeito, nós inferimos a existência da causa; ou, uma vez observada a causa, nós prevemos a produção do efeito. O princípio geral da causalidade, repitamos, não é nem um julgamento analítico, nem uma lei a posteriori tirada da experiência, como as leis causais particulares. (Yakira, 1994, p. 118, tradução nossa)

Nesse ponto, encontramos a noção que justifica este breve percurso, que traça um panorama mínimo para entendermos de que forma Lacan constrói sua noção de causa. Como ele mesmo diz, "é a causa, não a causa como categoria da lógica, mas como causando todo o efeito" (Lacan, 1966/1998, p. 883), que deve ser articulada à noção de verdade. Nesse sentido, a causa é entendida não como um tipo específico de construção, mas como algo necessário ao entendimento de que algo se passe. A partir daí, podemos avançar mais um pouco.

Verdade como causa

A articulação da verdade como causa parte, então, do pressuposto de que a causa – ou seja, isso que faz com que coisas aconteçam, surjam, mudem – está sempre ancorada em algo que é, no limite, inassimilável: a verdade. Vemos, assim, retomando este desdobramento de que a verdade (em seu caráter inassimilável) opera como causa, o embasamento da afirmação de que é esta a verdade do sofrimento neurótico: algo que reconhecemos enquanto efeito, mas cuja causa sempre apresenta uma dimensão que nos escapa. Essa dimensão de causa, ponto em que retomamos a questão deixada anteriormente – sobre o papel do *ergo* (*logo*) no *cogito* –, articula-se à fala e situa-se no centro da discussão do texto:

> *Este lembrete não é sem pertinência, já que o ponto mediano que nos servirá neste ponto, vocês me viram trazê-lo a pouco. É a causa, não a causa como categoria da lógica, mas como causando todo o efeito. A verdade como causa, irão vocês, psicanalistas, recusar-se a assumir sua questão, quando foi a partir disso que se alçou sua carreira? (Lacan, 1966/1998, p. 883)*

Vemos, assim, um percurso que vai desde a divisão entre saber e verdade no pensamento cartesiano – e sua relação com a emergência da ciência moderna – até a localização dessa divisão como traço radical da psicanálise. Junto disso, a definição da verdade não como uma categoria que indicaria a adequação do saber em relação ao real, mas, ao contrário, enquanto algo, em seu limite, irredutível e inassimilável – como aquilo que resta e que faz oposição ao saber. Esta verdade – inicialmente o *Wunsch* freudiano – que se propõe reintroduzir na ciência desdobra-se em sua dimensão de causa com Lacan a partir de seus desenvolvimentos sobre a divisão como efeito da incidência significante no sujeito. Temos, desse modo, tanto um contexto no qual o pensamento psicanalítico se fez possível como a constatação de que ele se estabelece justamente no limite dessa racionalidade que o possibilitou; e a articulação dessas duas dimensões nos leva justamente ao objeto da psicanálise, aquele que estaria na raiz da clínica enquanto causa, assim como na oposição entre verdade e saber:

> *O objeto da psicanálise (anuncio meu naipe e vocês o verão com ele chegar) não é outro senão aquilo que já expus sobre a função que nela desempenha o objeto a. O saber sobre o objeto a seria, então, a ciência da psicanálise?*
>
> *Essa é precisamente a fórmula que se trata de evitar, uma vez que esse objeto a deve ser inserido, já o sabemos, na divisão do sujeito pela qual se estrutura, muito especialmente – e foi disso que hoje tornamos a partir –, o campo psicanalítico. (Lacan, 1966/1998, p. 878)*

Notamos, portanto, que – pela própria condição de separação entre verdade e saber – o modo de tratamento do objeto mostra-se extremamente complexo. Podemos entender que a simples construção de um saber nos moldes de uma ciência "tradicional" – possibilidade que, por exemplo, Dor desenvolve tendo o empirismo lógico como interlocutor – levaria a uma espécie de silenciamento da verdade, frente à qual a psicanálise perderia sua especificidade e potência. Contudo, como vimos anteriormente, Lacan não tem o empirismo lógico como referência e avança cuidadosamente sobre esse campo, trazendo para consideração diferentes modos de se lidar com a verdade como causa – ou, em suas palavras, modos de *refração da verdade*.

> *Essa teoria do objeto a é necessária, como veremos, para uma integração correta da função, no tocante ao saber e ao sujeito, da verdade como causa.*
>
> *Vocês puderam reconhecer de passagem, nos quatro modos de refração que aqui acabam de ser recenseados, o mesmo número e uma analogia de indicação nominal que se encontram na física de Aristóteles. (Lacan, 1966/ 1998, p. 890)*

Nesse segundo momento, Lacan retoma a teoria das causas de Aristóteles para dar seguimento à discussão e, assim, melhor definir as diferenças entre modos tradicionais de se construir o saber – e, consequentemente, lidar com a verdade como causa. Desse modo, será estabelecida uma analogia entre psicanálise, ciência, religião e magia e as quatro causas aristotélicas: eficiente, formal, final e material. Para além disso, Lacan aponta que a psicanálise, por ter em seu seio justamente o tratamento da verdade como causa, marcaria uma diferença com esses outros modos de construção de saber, nisso que eles, de algum modo, negariam a verdade como causa. Assim, além da articulação com as causas aristotélicas, Lacan também realiza uma aproximação entre esses saberes e os modos de negação trabalhados pela psicanálise (recalque, renegação e forclusão). Vejamos como podemos avançar nesse campo.

84 A CIÊNCIA NA PSICANÁLISE: EVITANDO EQUÍVOCOS

A partir dessa aproximação, o autor indica que a magia trataria da verdade como causa eficiente, pois teria como base de funcionamento justamente a ligação entre o significante e o referente enquanto algo manipulável: "Ela supõe o significante respondendo como tal ao significante. O significante da natureza é invocado pelo significante do encantamento. É metaforicamente mobilizado" (Lacan, 1966/1998, p. 885). Nesse processo, no entanto, o sujeito necessário a ele ficaria velado. Tanto o sujeito que demanda (sujeito xamanizado) como o que responde (xamã) devem estar, em certo ponto, "preparados", e "é esse modo de coincidência que é vedado ao sujeito da ciência" (Lacan, 1966/1998, p. 886). É essa dimensão que seria recalcada do saber por ela produzido.

> *Concluo por dois pontos que devem reter a escuta de vocês: a magia é a verdade como causa sob seu aspecto de causa eficiente.*
>
> *O saber caracteriza-se nela não apenas por se manter velado para o sujeito da ciência, mas por se dissimular como tal, tanto na tradição operatória quanto em seu ato. Essa é uma condição da magia. (Lacan, 1966/1998, p. 886)*

Causa eficiente na medida em que o significante responde como tal ao significante, ou seja, o significante na natureza obedece ao significante do encantamento. O recalque, por sua vez, consiste no fato de esse mecanismo ser sempre negado: "o saber é nela velado, dissimulado na tradição operatória como em seu ato" (Askofaré, 2013, p. 31).

A religião, por sua vez, trataria a verdade como causa final, ao referir-se sempre à articulação das explicações com a vontade de Deus enquanto instância última. Desse modo, ela apresentaria a verdade como causa "escatológica", sempre indicando certa finalidade metafísica; e a renegação estaria presente justamente num movimento que ora indica a verdade enquanto causa como de interesse do sujeito, ora a indica como algo que só diz respeito a Deus, inacessível aos homens.

Digamos que o religioso entrega a Deus a incumbência da causa, mas nisso corta seu próprio acesso à verdade. Por isso ele é levado a atribuir a Deus a causa de seu desejo, o que é propriamente o objeto do sacrifício. Sua demanda é submetida ao desejo suposto de um Deus que, por conseguinte, é preciso seduzir. O jogo do amor entra aí. (Lacan, 1966/1998, p. 887)

Tem-se, então, um mecanismo de consideração e negação simultâneas, pois a revelação se daria, ao mesmo tempo, como acessível e impossível ao sujeito, que tem denegada sua posição como agente de sua própria causa.

Em relação à ciência, já nos é bem conhecida a máxima de que esta forclui a verdade como causa ou mesmo "que, da verdade como causa, ela não quer-saber-nada" (Lacan, 1966/1998, p. 889). Tal afirmação parece bastante sólida, especialmente se tomamos por referencial de ciência o empirismo lógico, como Dor, ou simplesmente uma relação direta entre ciência e o pensamento cartesiano, nisso que ele implicaria a exclusão da subjetividade para que o conhecimento pudesse se construir de modo correto. Além disso, esse ponto é de especial importância para o presente trabalho, uma vez que a forclusão da verdade como causa na ciência é um ponto frequentemente evocado para a sustentação da impossibilidade de relação entre psicanálise e ciência.

Junto com essa afirmação, deve-se também se somar a consideração em relação às causas aristotélicas. Como diz Lacan, "decerto me será preciso indicar que a incidência da verdade como causa na ciência deve ser reconhecida sob o aspecto da causa formal" (Lacan, 1966/1998, p. 890). Ora, frente à bibliografia clássica acerca desse tema, se há algo em que todos os autores parecem concordar é que a ciência forclui a verdade como causa, além de tratá-la como causa formal. Entretanto, será que não existe certa tensão na conjugação dessas duas afirmativas?

Façamos, primeiramente, uma leitura mais "ingênua", na qual se coloca uma questão bastante simples: como é possível que a ciência forclua a verdade como causa, e, ao mesmo tempo, trate-a como causa formal? No que diz respeito ao recalque e à renegação, pode-se pensar uma coexistência, tendo em vista certa alternância temporal que esses mecanismos podem conter. Contudo, na forclusão, a recusa é, como sabemos, mais radical: trabalha-se com a ideia de algo que fora excluído do momento de constituição do discurso e não há possibilidade de entrada posterior. Em outras palavras, como é que algo que fora, num primeiro momento, rejeitado – e que se torna impossibilitado de ser reintroduzido no discurso – pode ser tratado de modo formal? Lembremos que são exatamente os mesmos termos que recebem estes predicados aparentemente contraditórios: é a verdade como causa que é forcluída, assim como é a verdade que é reconhecida como causa formal. Deixemos, por enquanto, posta essa tensão, pois há outro ponto a ser considerado que nos ajudará a avançar.

A segunda questão parece um tanto lateral, mas abre uma vertente bastante intrigante. Trata-se do fato de que Koyré estabeleceu, ele mesmo, uma articulação deveras interessante entre ciência e a teoria das causas de Aristóteles,[11] mas com diferenças notáveis em relação ao modo como Lacan o faz. Segundo o epistemólogo, a

---

11 Isso pode ser visto em sua forma final nos *Estudos newtonianos* (1965/1985), mas também pode ser encontrado, indiretamente, em textos anteriores.

ciência estaria próxima das causas eficiente e material por ter como objeto tanto a composição quanto o funcionamento das coisas e do mundo. É um raciocínio próximo daquele encontrado em Yakira (1994), ao estabelecer a evolução da noção de causalidade na ciência moderna, como vimos antes. Desse modo, as causas final e formal seriam recusadas, visto que elas teriam como foco questões não "objetivas" (finalidade entendida como uma razão metafísica que dê sentido ao evento e a forma entendida como adequação a ideais de harmonia e beleza), ou seja, dimensões fortemente habitadas pela subjetividade. Como, então, compreender o caminho lacaniano de indicar a ciência como algo que trata a verdade como causa formal?

Parece-nos que essas duas questões levantadas apontam para um caráter importante, embora muitas vezes negligenciado, do modo de enunciação desses desenvolvimentos. Como apontado, encontra-se uma apropriação bastante contundente dessas afirmações, tanto em relação à forclusão como em relação à causa formal. No entanto, parece-nos que Lacan teria sido muito mais cuidadoso em relação à primeira, e que a segunda deve ser lida a partir de um referencial ampliado.

Comecemos pela máxima da forclusão. Embora isso seja indicado por Lacan, o modo assertivo como parece ser assimilado por alguns pós-lacanianos (Alberti & Elia, 2008; Askofaré, 2013; Dor, 1988a, 1988b; Freire, 1997) contrasta diretamente com o que podemos encontrar no texto. O que nos parece negligenciado é, de fato, importante: Lacan, antes de afirmar o "não quer-saber-nada", constrói uma preparação inteira no condicional e, inclusive, não deixa de indicar certo estranhamento. Tomemos o parágrafo inteiro, em vez de somente seu final, como é usual:

> *Abordá-la-ei através da estranha observação de que a prodigiosa fecundidade de nossa ciência deve ser interrogada*

em sua relação com o seguinte aspecto, no qual a ciência se sustentaria: que, da verdade como causa, ela não quer--saber-nada. *(Lacan, 1966/1998, p. 889; grifo nosso)*

Não nos parece que tal condicional deva ser ignorado. Afirmar que a ciência "não quer-saber-nada" da verdade como causa é radicalmente diferente de indicar que este é um aspecto no qual ela "se sustentaria", construção que claramente postula certa distância do autor em relação à afirmação que segue. A indeterminação presente nessa frase nos mostra, no mínimo, que o modo como o psicanalista compreende a ciência é muito mais complexo, e mesmo flexível, do que pode parecer se tomamos seu final como algo completo de sentido. Guardemos esse ponto.

Em relação à causa formal, pode-se pensar que o fato de Koyré articular a ciência com as causas aristotélicas de modo diferente não seria algo assim tão importante. De fato, não nos parece que isso produza uma contradição, uma vez que o próprio Koyré teria sua leitura da ciência moderna mais próxima a Platão, como nos indica Iannini (2012). Assim, tomar a ciência como algo constituído sobre a prevalência da forma, no sentido de formalização, é algo presente na leitura de Koyré, mesmo que este não aproxime isso da causa formal aristotélica. Podemos encontrar esse ponto justamente na questão da ruptura que Koyré aponta entre a ciência moderna e a ciência medieval, defendendo-o a partir da prevalência da teoria sobre a experimentação (como vimos antes). Entretanto, esse acento sobre a formalização em si abre a possibilidade de pensarmos eventuais influências de outros autores da filosofia da ciência, que trabalhavam com esse termo de maneira mais contundente.

Se considerarmos esse desencontro entre Lacan e Koyré em relação à articulação com as causas, essa hipótese ganha força. Mais ainda: se considerarmos que "A ciência e a verdade" foi comunicado em 1965 e que em 1960 um livro de grande impacto no cenário francês havia sido lançado – com o título *Pensée formelle et sciences de l'homme*, de Gilles-Gaston Granger (1960/1967) –, a questão de outras influências torna-se ainda mais factível.[12]

De fato, Lacan não aponta, nessa parte final do texto, a referência com a qual dialoga. Mais que isso, seja pelo o que acabamos de expor, seja pela não associação do positivismo lógico como referência de ciência, seja pelo cuidado que lemos no uso do condicional ao falar do campo científico, parece-nos que há uma indeterminação intencional, que deixa aberta a questão das possibilidades de interação entre psicanálise e ciência. A isso podemos, ainda, somar outro detalhe do texto, que diz respeito ao modo como o autor enuncia a questão da causa formal.

Se, como indicamos anteriormente, Lacan anuncia que "decerto me será preciso indicar que a incidência da verdade como causa na ciência deve ser reconhecida sob o aspecto da causa formal" (Lacan, 1966/1998, p. 890), essa afirmação é logo completada por algo que não desenvolve a questão, mas que traz justamente uma diferenciação em relação à psicanálise. Após a afirmação citada, ele segue:

> *Isso, porém, será para esclarecer que a psicanálise, ao contrário, acentua seu aspecto de causa material. Assim se deve qualificar sua originalidade na ciência.*

---

12 A possível influência de Granger em Lacan nos parece um tema bastante interessante. Essa possibilidade surge a partir do reconhecimento de certas similaridades em como Lacan define a causa material e como Granger localiza a história enquanto um limite da formalização científica: "Se definimos a ciência: construção de modelos eficazes de fenômenos, vê-se que a história nos escapa, na medida em que ela se propõe não a elaborar modelos para uma manipulação de realidades, mas a reconstituir essas realidades mesmas, necessariamente vividas como individuais" (Granger, 1960/1967, p. 207, tradução nossa). A partir de uma breve pesquisa sobre essa relação entre os autores, não encontramos nenhum texto que trate o tema de modo direto, sendo o mais próximo a obra de Dor (1988a, 1988b), que estabelece algumas articulações, mas sem pensar em possíveis influências. Parece-nos um tema a ser explorado.

90 A CIÊNCIA NA PSICANÁLISE: EVITANDO EQUÍVOCOS

Essa causa material é, propriamente, a forma de incidência do significante como aí eu defino.

> *Pela psicanálise, o significante se define como agindo, antes de mais nada, como separado de sua significação. É esse o traço de caráter literal que especifica o significante copulatório, o falo, quando, surgindo fora dos limites da maturação biológica do sujeito, ele se imprime efetivamente, sem poder ser o signo que representa o sexo existente do parceiro, isto é, seu signo biológico; lembremo-nos de nossas fórmulas diferenciadoras do significante e do signo. (Lacan, 1966/1998, p. 890)*

Se tomarmos o movimento do texto com atenção, vemos que, mais importante que o desenvolvimento de uma noção de ciência, ou mesmo das possíveis relações da psicanálise com a ciência, o texto se dedica a construir o lugar da psicanálise em relação a esta: relação de dependência, no que diz respeito à sua emergência, mas de um distanciamento autônomo em relação a seu objeto e ao modo de tratar a verdade como causa. O que importa aí é a centralidade da refração da verdade enquanto causa material, verdade que causa o sujeito em sua incidência significante, fato que tem como efeito a recusa de qualquer significação implicada no significante literalizado, tomado em seu aspecto material e não semântico:

> *É essa doutrina do significante que funda a verdade como "aquilo que instaura a dimensão significante" e alega, ou refunda, a sua função causal. O sujeito do significante aparece, dali em diante, como o efeito no real do significante que o causa materialmente, ao causar essa divisão não colmatável que desterra o seu ser de sujeito*

na causa do seu desejo. É esse objeto a, oriundo da separação do sujeito, objeto fundamentalmente e originariamente perdido, que constitui o objeto da psicanálise. Não é o suficiente para atestar a exclusão interna da psicanálise do campo da ciência? (Askofaré, 2013, p. 33, tradução nossa)

Como vimos até o momento, essa questão de Askofaré dificilmente será respondida a partir de "A ciência e a verdade", uma vez que, embora possa se reconhecer todo o trabalho de reconstrução da dependência da psicanálise em relação a uma episteme e a um modo específico de produção do sujeito, Lacan mostra-se um tanto furtivo em estabelecer uma concepção atual de ciência e, assim, ter a possibilidade de propor (ou não) uma possível articulação. O mais longe que o autor vai, nesse sentido, encontra-se na seguinte passagem:

> *Será preciso dizer que, na ciência, ao contrário da magia e da religião, o saber se comunica?*

Mas devo insistir em que não é apenas por ser esse o costume, mas porque a forma lógica dada a esse saber inclui a modalidade da comunicação como suturando o sujeito que ele implica.

> *Tal é o primeiro problema levantado pela comunicação em psicanálise. O primeiro obstáculo a seu valor científico é que a relação com a verdade como causa, sob seus aspectos materiais, ficou negligenciada no círculo de seu trabalho. (Lacan, 1966/1998, p. 891)*

Entendemos, assim, que o psicanalista aponta que o discurso científico consegue transmitir seu saber, uma vez que permite negar a divisão do sujeito em sua comunicação, ponto em que seria possível retomar a crítica à psicologia que indicamos no início de nosso comentário. Assim, o ponto mais direto em relação às possibilidades de interação entre psicanálise e ciência está contido no final da citação, pela negligência, por parte das comunicações científicas, em relação à verdade como causa material. Negligência: diferente de forclusão, rejeição ou impossibilidade – um "obstáculo", nas palavras de Lacan. Reiteramos, assim, que mais que um texto sobre a possibilidade (ou impossibilidade) de diálogo entre ciência e psicanálise, "A ciência e a verdade" parece, antes, tratar do posicionamento da psicanálise enquanto campo autônomo, embora historicamente dependente da ciência. Seguramente, não devemos negar as bases que o texto estabelece para essa discussão, ou mesmo uma espécie de convocatória ética que Lacan faz ao dizer que essa exposição não tem como objetivo ser somente informativa – mas, sim, indicar que é a esses outros modos de tratamento da verdade como causa que os psicanalistas devem resistir.

No entanto, seria equivocado tomar esses conteúdos anteriormente expostos como decisivos em relação a um campo que não é ali explorado. Sublinhamos, assim, que as afirmações de Lacan são extremamente pertinentes nessa retomada histórica da relação da psicanálise com a ciência, e também na elaboração de seus pontos de distanciamento. Contudo, extrapolar esse trabalho para a ciência "como um todo" seria um erro crasso, especialmente porque o próprio autor não entra nas discussões que, mesmo no momento de comunicação e publicação do texto, eram atuais no campo da filosofia da ciência. Desse modo, afirmar, a partir de "A ciência e a verdade", que a ciência forclui a verdade como causa e que, portanto, existe uma impossibilidade – ou mesmo uma paradoxalidade – necessária na relação entre psicanálise e ciência mostra-se um equívoco que deve ser evitado. Encontramos, consequentemente, uma posição mais ponderada, em que se a história do pensamento cientifico pode ser referida por tal exclusão; isso não necessariamente se aplica a uma teoria do conhecimento, na qual a questão da verdade é entendida a partir da possibilidade de refrações, de modo que a problemática ganha contornos muito mais complexos.

Definir esse limite é essencial para estabelecer um diálogo mais fecundo. Portanto, sustentamos que, embora frequentemente retomado para falar das possibilidades de relação entre psicanálise e ciência, "A ciência e a verdade" tem como centro, antes, uma questão em voga na década de 1960, que tinha como centro a possibilidade de que a psicanálise se sustentasse enquanto um campo autônomo, e não sobre eventuais interações. Esse esforço de separação ganha corpo no momento dessa comunicação, mas só terminaria alguns anos depois. Como nos diz Askofaré, este projeto do estabelecimento do campo próprio da psicanálise teria início no texto em questão e chegaria a seu ápice com a teoria dos discursos:

> Com efeito, desde "A ciência e a verdade" Lacan renuncia implicitamente ao seu projeto – o do Discurso de Roma – de fazer da psicanálise uma ciência. Essa renúncia não é confissão de impotência, mas reconhecimento in fine de uma especificidade e de uma alteridade que tornam a psicanálise, como prática, irredutível à ciência. Esse processo de "separação" começa por uma tomada de distância com relação ao estruturalismo e culmina na teoria dos quatro discursos; logo, na invenção da categoria de "discurso do analista". Aquilo de que a categoria de discurso se encarrega é de que não há, de um lado, a linguagem e sua estrutura formal – sem sujeito – e, do outro, a estrutura da fala fundada no laço entre duas consciências. Então, linguagem e fala não são mais encaradas exclusivamente a partir do seu poder de significar. (Askofaré, 2013, p. 258, tradução nossa)

A ciência na teoria dos discursos

Essa flexibilidade conceitual em relação à referência utilizada na definição de ciência ganha força, inclusive considerando-se os desenvolvimentos posteriores. Do mesmo modo que "A ciência e a verdade" (Lacan, 1966/1998) parece retomar uma problemática colocada em "Acerca de uma visão de mundo" (Freud, 1933/2010), essa mesma problemática parece habitar fortemente a proposição da teoria dos discursos, no entanto, a partir de outra abordagem.

Consideramos a teoria dos discursos como uma proposição de formalização dos modos de organização do laço social e da regulação do gozo, apresentada de maneira definitiva no seminário sobre *O avesso da psicanálise* (1969-1970/1992), sob a forma de quatro discursos. É importante ressaltar que não se trata de discurso no sentido tradicional, mas de um esforço de formalização de diferentes posições enunciativas a partir da organização de termos dentro de um esquema composto por quatro funções (Lacan, 1969-1970/1992). Os termos em questão são S1 (significante mestre), S2 (saber), $ (sujeito dividido) e objeto *a* (causa do desejo ou mais-gozar). Os termos circulam nas posições de agente, outro, verdade e produção, produzindo os discursos do mestre, da universidade, da histérica e do analista. Vamos nos limitar a explicar, em relação a essa teoria, os pontos centrais para nossa discussão, especificamente aqueles relacionados à ciência e ao discurso da ciência.

Embora Lacan apresente, de partida, somente quatro discursos, o sintagma "discurso da ciência" é utilizado em diversos momentos – pelo próprio autor e por outros psicanalistas – para fazer referência a mudanças significativas da produção do saber e seus efeitos. Todavia, é interessante o fato de que, no seminário sobre o avesso, Lacan evita essa expressão. Ao contrário, existe uma oscilação entre o estabelecimento de uma relação entre a ciência e o discurso da histérica, o do mestre e o da universidade.

No começo do seminário, Lacan realiza uma diferenciação entre a ciência e um saber teórico (Lacan, 1969-1970/1992, p. 22). Ele prossegue afirmando que existe uma distância entre o saber e o desejo de saber, de modo que, se podemos ligar o saber ao discurso do mestre (que consistia, em outro momento, na apropriação pelo mestre do saber do escravo), o mesmo não poderia ser dito em relação ao desejo de saber, ligado ao discurso da histérica: "O que conduz ao saber – permitam-me justificar num tempo mais ou menos longo – é o discurso da histérica" (Lacan, 1969-1970/1992, p. 23). Tudo isso está colocado na primeira sessão do seminário, ao longo do qual ele aproxima, sobretudo, a filosofia do discurso do mestre, mas não necessariamente a ciência.

Em alguns momentos, Lacan situa a ciência como ligada ao discurso da histérica, cujo agente é o sujeito dividido. O discurso da histérica é aquele que leva ao saber, que faz o mestre produzir um saber, mas com o intuito de indicar a insuficiência deste. Nele, estaria localizada a fala do analisante, histericizada, demandando um saber ao outro. Além disso, Lacan aponta uma estrutura próxima à da ciência:

> Ordenado em torno da impossibilidade de "fazer desejar", esse discurso se sustenta pelo mandamento da histérica ao Mestre, de produzir um saber sobre a causa da sua dilaceração sintomática; saber sempre insuficiente e vão, por não poder alcançar e assimilar o objeto como causa do desejo da histérica em posição de verdade.

> ... O laço estreito e orgânico, para não dizer a identidade estrutural entre o discurso da histérica e o discurso da ciência, explica – pelo menos em parte – que o laço social que determina e que possibilitou o discurso da histérica seja o discurso do analista. (Askofaré, 2013, p. 36, tradução nossa)

O autor indica, desse modo, um funcionamento no qual o agente coloca uma questão a partir de uma incompletude estrutural e tem um saber como produto. Essa aproximação entre ciência e discurso da histérica está presente, também, além de em outras lições do mesmo seminário, em outro posterior sobre o *Saber do psicanalista* (1971-1972) e em sua conferência *Televisão* (1974/2001). É nesse sentido que Askofaré afirma que a ciência se liga ao discurso da histérica enquanto pesquisa (Askofaré, 2013). Tal concepção de ciência, estruturada de modo menos normativo em relação às particularidades de cada disciplina, é deveras mais compatível com os desenvolvimentos atuais da filosofia da ciência, como veremos no Capítulo 2.

Entretanto, como dissemos, existe uma oscilação, e Lacan também aproxima a ciência à filosofia e ao discurso do mestre. Essa aproximação deve ser entendida considerando que o discurso do mestre é formulado como a entrada do sujeito na linguagem, mas essa estrutura é extrapolada para situações nas quais o agente do discurso (significante mestre) baseia sua dominação em um saber produzido por outro. Dessa forma, a filosofia seria colocada nessa posição por ser entendida como um saber que se propõe dominador ao estabelecer aquilo que é ou deixa de ser verdadeiro.

Trata-se, portanto, do discurso da ordem, do discurso que faz as coisas funcionarem.

> *Mas esse discurso do mestre, em sua forma pura, original, não existiria mais segundo Lacan. Ele seria reencontrado somente em formas modificadas: discurso do capitalismo, colonização ("forma exótica do discurso do mestre"), ou sob a forma do discurso da universidade. (Askofaré, 2013, p. 35, tradução nossa)*

Veremos essas variações – em específico, o discurso da ciência – nos próximos parágrafos.

Para além da filosofia, há também passagens no próprio seminário sobre o avesso em que Lacan faz referência à ciência como ligada ao discurso do mestre. Assim, a ciência funcionaria como uma espécie de argumento de autoridade, portando o poder de decidir entre o verdadeiro e o falso, ou mesmo entre o bem e o mal. Ora, se considerarmos o que dizem os autores da filosofia da ciência, essa possibilidade seria justamente o avesso da própria ciência – uma vez que, mesmo que ela tenha um projeto de conhecer e dominar o universo e o homem, sempre deve tomar distância da verdade e de julgamentos. Nesse sentido, podemos compreender a afirmação de Lacan como uma assimilação da ciência pela ideologia, numa situação em que essa autoridade teria ganhado uma força tão grande que a separação entre saber e verdade ficaria esquecida.

Esse funcionamento seria, por sua vez, amplificado pelo discurso da universidade, o qual pode ser considerado como um dialeto do discurso do mestre, visto que tem como característica manter o funcionamento das coisas, mas de um modo mais suave, tendo o saber como agente. Ele é ligado, assim, à burocracia; nesse sentido, teria como verdade um mestre que se "disfarçaria" enquanto saber:

> O S2 ocupa o lugar dominante na medida em que é no lugar da ordem, do mandamento, no lugar primeiramente ocupado pelo mestre que surgiu o saber. Por que será que nada mais se encontra no nível da sua verdade senão o significante mestre, na medida em que este opera para portar a ordem do mestre? (Lacan, 1969-1970/ 1992, p. 109)

Podemos, assim, considerar o discurso da universidade como a instituição que faz funcionar esse motor. Desse modo, ele ocuparia o lugar do supereu, um supereu cuja injunção é: saiba! (Askofaré, 2013). Como vimos, a ciência é articulada a três discursos: ao discurso da histérica (do qual mais se aproxima), enquanto pesquisa;

98   A CIÊNCIA NA PSICANÁLISE: EVITANDO EQUÍVOCOS

ao discurso do mestre, enquanto projeto; e ao discurso da universidade, como instituição. Entretanto, não é somente pela soma dessas três dimensões da ciência que seria possível pensar um discurso próprio; o discurso da ciência inclui um excesso:

> *Entre esses últimos, parece evidente hoje em dia que a ciência ocupa um lugar e uma posição específicos. Por um lado, porque, de todos os saberes disponíveis, ela é aquele ao qual a psicanálise está o mais organicamente ligada (a ciência como condição da psicanálise é uma tese permanente no ensino de Lacan); por outro, porque a ciência não é só saber, porque ela está em excesso em relação aos conhecimentos que produz, por ser igualmente provedora de objetos técnicos – latusas – e de capacidades de intervenção prática sobre o mundo. Daí o sintagma lacaniano: discurso da ciência. (Askofaré, 2005, p. 2, tradução nossa)*

Desse modo, vemos que, se o sintagma *discurso da ciência* é utilizado por Lacan em diversos momentos, é necessário ter cuidado com seu emprego. De saída, não é à toa que a ciência não será colocada como um dos quatro discursos fundamentais, justamente porque o psicanalista já trabalhava com a ideia de sua circulação entre eles. Como vimos, é possível pensar a ciência enquanto um projeto de dominação da natureza e dos corpos (ligada ao discurso do mestre), enquanto instituição (ligada ao discurso da universidade), e como pesquisa (discurso da histérica). Assim, temos, inclusive, outra luz sobre a oscilação entre a ciência como forcluindo a verdade como causa e como tratando a verdade enquanto causa formal: a primeira estaria mais próxima ao discurso do mestre e ao "projeto"; e a segunda, a um modo de interrogação do real com o intuito de produção de saber. Mas e o *discurso da ciência*?

É numa conferência, aquela pronunciada em 10 de novembro de 1967, no Círculo Psiquiátrico Henri Ey do Hospital Sainte-Anne – texto conhecido com o título de "Pequeno discurso de Jacques Lacan aos psiquiatras" –, que se pode isolar a primeira articulação clara do que Lacan chamará, na sequência, de "discurso da ciência". Seguindo Lacan e se orientando a partir desse texto, pareceria que o discurso da ciência, no sentido estrito, não seja equivalente nem ao saber científico, nem à prática científica, nem ao espírito e ao método científicos, nem à "filosofia espontânea dos sábios". É muito evidentemente tudo isso ao mesmo tempo, mas não só. (Askofaré, 2013, p. 56, tradução nossa)

Vemos, portanto, que, em relação ao *discurso da ciência*, trata-se antes da assimilação dessas três modalidades em um todo que os excede; algo que funciona mais como reprodução de um modo de organização social (a partir da produção e disponibilização de *gadgets*, como diz Lacan) do que de qualquer modulação do pensamento científico enquanto produção de saber:

Por "discurso da Ciência" devemos entender apenas a ideologia que domina, determina e regra a relação do sujeito com o saber tecnocientífico, aos objetos produzidos pelo dito saber e os modos de gozo que ele autoriza, fixa e promove. (Askofaré, 2013, p. 76, tradução nossa)

Desse modo, vemos que – inclusive a partir da teoria lacaniana dos discursos – é um equívoco tomar o discurso da ciência e a linguagem científica, ou a ciência enquanto pesquisa e instituição, como a mesma coisa. No discurso da ciência, trata-se de um modo específico de presença da ciência na cultura, na qual ela parece colaborar com a reprodução da ideologia, encobrindo contradições e silenciando formas de mal-estar que colocam em xeque o modo de organização social. Por outro lado, a ciência, enquanto modo de produção do saber, por mais que seja em diversos momentos atravessada pela ideologia (e, como vimos, também forneça material para sua constituição), não pode ser reduzida a isso: ela pode partir de diferentes posições enunciativas (como pesquisa, projeto ou instituição), inclusive de modo a fazer, ela mesma, a crítica à ideologia ou aos furos no discurso do mestre. Ressaltamos, portanto, que, embora possamos reconhecer atravessamentos, não se deve, de modo algum, tomar uma pela outra.

Ciência, forclusão e discurso da ciência

A partir de nosso esforço de estabelecer uma leitura rigorosa dos principais momentos em que Lacan trabalha a questão da psicanálise com a ciência, é possível reconhecer um solo um pouco menos acidentado para darmos seguimento à nossa discussão. Retomemos, rapidamente, alguns dos gregários que ficaram pelo caminho.

Primeiramente, não se pode confundir o que Lacan trabalha como *discurso da ciência* com a linguagem da ciência ou o discurso científico (nas palavras de Bernard Bass, 2013). Temos, aí, dois campos que, embora se toquem, demandam estratégias fundamentalmente diferentes de abordagem. O discurso da ciência diz respeito a um determinado modo de assimilação da ciência como ideologia, que passa a ter efeitos na cultura e no laço social. Isso é distinto da ciência como empreendimento de produção de conhecimento e organização do saber, que – embora seja atravessado pela ideologia – tem efeitos absolutamente diferentes, sendo, inclusive, uma possibilidade de crítica da ideologia.

Segundo, deve-se ter em conta que a psicanálise pode ter pontos de aproximação e de distanciamento da ciência, sem, assim, perder sua especificidade: "Decerto essa promoção não muda nada na dependência estrutural da psicanálise com relação ao campo científico, mas ela lhe administra a autonomia necessária à sua não dissolução na ciência" (Askofaré, 2013, p. 54, tradução nossa).

Como vemos, essa afirmação é extremamente interessante, pois apresenta claramente uma dualidade que muitas vezes é esquecida. Por mais que a dependência da ciência para a emergência da psicanálise seja sempre apresentada, esse fato é colocado com um momento superado e que, por entrar em conflito com outros desenvolvimentos, deve ser visto somente como uma questão histórica.

> *Os dois "momentos" que nós isolamos no corpus lacaniano testemunham, por sua distância e sua diferença, uma evolução, até mesmo uma subversão dessa problemática. A primeira formalização, a das leis da linguagem e dos modos de produção do sentido, ilustra o que foi o momento de "alienação" da psicanálise ao ideal da ciência; a segunda – a do discurso – traz à luz a elaboração à qual é reportável o processo de emancipação – "separação" da psicanálise com relação à ciência – e o da sua conceitualização como discurso autônomo. (Askofaré, 2013, p. 258, tradução nossa)*

No entanto, podemos pensar também na possibilidade de se manter essa tensão, não somente de um campo que deve sua emergência a outro, mas que continua em contato constante com este. Em outras palavras, separação não significa ruptura: se a psicanálise, em sua práxis, trata de questões tradicionalmente rejeitadas pelo campo científico, isso não impede que (1) continuem a existir pontos possíveis de diálogo e aproximação, e (2) que essa aproximação possa produzir efeitos nos dois campos que reconfigurem esse cenário de suposta paradoxalidade. Colocado de outro modo: a consideração da causalidade material (materialidade significante) produz uma exclusão necessária entre psicanálise e ciência?

Neste ponto, devemos retomar nossa proposta de estabelecer um debate atualizado entre psicanálise e ciência. Como vimos, as posições que tradicionalmente apontam para uma impossibilidade de relação parecem tomar um debate sobre a autonomia da psicanálise enquanto argumento para uma ruptura, quando é possível trabalhar com a ideia de uma separação que não deixa de permitir pontes e aproximações. Mesmo que a clínica psicanalítica não seja redutível a uma prática científica, isso não impede que dela surjam possibilidades de construção de saberes, que nela se coloquem insuficiências e que seus desenvolvimentos estabeleçam diálogos frutíferos com outras áreas. Nada mais condizente com a subordinação da teoria à clínica que a indagação de um real que se coloca para além do estabelecido. Não nos parece que esse posicionamento seja contrário a algo que atravessa o campo científico, embora essa aproximação demande um estudo mais aprofundado. Nesse sentido, seria necessário indagar a evolução do campo da filosofia da ciência desde as referências utilizadas por Lacan até os debates atuais, para que seja possível mapear as tensões, proximidades e distanciamentos.

2. Um trajeto na ciência

Ao ter-se como objetivo um traçado histórico da evolução do campo da filosofia da ciência, é necessário, antes de tudo, indicar as bases em que isso será tratado. Não pretendemos fazer um exame exaustivo de todos os autores relevantes nem dar conta de todos os movimentos marcantes. Tendo em vista nosso tema, partimos do pressuposto de que, mais do que detalhes rigorosos dos debates, o que nos interessa é estabelecer mais amplamente o movimento que existe nesse campo, ressaltando as mudanças centrais.

Além disso, essa apresentação nos interessa porque o processo existente parece ter claros efeitos de abertura, no sentido de que algumas "regras" célebres, que muitas vezes se encontram em diálogo com o campo, mostram-se um tanto ultrapassadas. A partir das considerações que fizemos no Capítulo 1 sobre pontos que produziriam necessariamente uma paradoxalidade incontornável na relação entre psicanálise e ciência, essa atualização do debate acerca daquilo que se pode considerar como científico é central, justamente porque certos desenvolvimentos amplamente aceitos pela comunidade científica indicam a necessidade de que essas questões sejam abordadas de outra maneira.

Para tanto, faremos uma apresentação de alguns autores relevantes em filosofia da ciência. Nossa escolha passa pelo fato de se tratar de autores que podem claramente contribuir para nossos objetivos, além de, é claro, serem nomes respeitados e de indiscutível importância. Desse modo, escolhemos autores a partir dos quais podemos reconhecer o movimento intenso que existe nesse campo e, principalmente, os pontos de abertura que se foram produzindo, assim como retomadas rigorosas a partir dessas aberturas.

Procuraremos, também, realizar uma apresentação que não se prenda a um modo específico de se trabalhar a filosofia da ciência. Como vemos frequentemente, trabalhos que têm como centro a psicanálise lacaniana, concentram-se, usualmente, em autores da epistemologia continental, como Canguilhem, Bachelard, Foucault etc. De maneira nenhuma estamos diminuindo o valor destes autores, muito pelo contrário: são nomes de enorme importância – e mesmo influência – neste texto, ainda que não nos dediquemos explicitamente a seus trabalhos. Entretanto, parece-nos importante, dados os objetivos deste estudo de estabelecer pontos de diálogo com escolas que apresentam uma certa distância epistemológica, que possamos transitar entre autores continentais e autores de outras tradições.

Já que, no capítulo anterior, pudemos examinar as contribuições de Koyré, indicadas como referências para diversos desenvolvimentos de Lacan, agora teremos como objeto autores posteriores a ele, começando por já deslocar o eixo da França para um trabalho produzido nos Estados Unidos.

A contingencialidade científica

Concomitantemente à discussão desenvolvida por Lacan na França, a unidade e a continuidade do pensamento científico era um tema trabalhado nos Estados Unidos. Essa questão é o centro de um acalorado debate iniciado em meados dos anos 1960 com a publicação do livro *A estrutura das revoluções científicas* (1962/2013), de Thomas Kuhn. O autor, originalmente um físico, dedicou-se à escrita de um livro de história do pensamento científico moderno justamente para encaminhar algumas questões que se acumularam com sua experiência em laboratórios e comunidades científicas, apontando, assim, alguns equívocos que seriam largamente disseminados acerca do modo de funcionamento da produção do conhecimento científico.

Entre os pontos trabalhados, destacam-se suas noções de paradigma, incomensurabilidade, crise e, é claro, revolução. Em linhas gerais, Kuhn argumenta que, diferentemente do que usualmente se defende, a ciência não funciona sempre como um processo cumulativo, no qual novas descobertas surgiriam como resultantes lógicas das anteriores e se somariam ao conhecimento já produzido. Isso de fato acontece, mas não é dessa maneira que se dariam as grandes descobertas científicas:

> *considramos revoluções científicas aqueles episódios de desenvolvimento não cumulativo, nos quais um paradigma mais antigo é total ou parcialmente substituído por um novo, incompatível com o anterior. (Kuhn, 1962/2013, p. 177)*

Primeiramente, devemos compreender o que é aqui denominado como paradigma. Segundo o autor, para que uma ciência se desenvolva, é necessária uma base conceitual que norteie e delimite as possibilidades de pesquisa e desenvolvimento. Em alguns pontos, similar ao que é apontado por Koyré como a necessidade de uma teoria que dirija a experimentação, a noção de paradigma em Kuhn parece, contudo, mais profunda: uma espécie de visão de realidade, que define como e quais fenômenos poderão (ou não) ser estudados e explicados. A partir do paradigma, seriam, então, estabelecidos

106 UM TRAJETO NA CIÊNCIA

procedimentos, regras e métodos por meio dos quais o conhecimento pode ser produzido:

> *esses compromissos proporcionam ao praticante de uma especialidade amadurecida regras que revelam a natureza do mundo e de sua ciência, permitindo-lhe assim concentrar-se com segurança nos problemas esotéricos definidos por tais regras pelos conhecimentos existentes. (Kuhn, 1962/2013, p. 112)*

Esse tipo de produção dentro das possibilidades de um paradigma é o que o autor chama de "ciência normal". Essa prática teria como objetivo aprofundar e dar mais precisão às questões já estabelecidas, assim como apontar novas questões que os desenvolvimentos anteriores ainda não tivessem reconhecido, mas que seriam suportadas no modo de pensar do paradigma em voga. Desse modo, Kuhn desenha a imagem da ciência normal como a resolução de quebra-cabeças: um trabalho minucioso realizado a partir de peças já conhecidas ou previstas. Porém, em alguns momentos, a ciência normal se depara com problemas que ela mesma não consegue resolver, ou com novos fatos que não são facilmente assimilados no paradigma atual. Esses fatos e problemas são apresentados sob o nome de anomalias, isto é:

> *o reconhecimento de que, de alguma maneira, a natureza violou as expectativas paradigmáticas que governam a ciência normal. Segue-se então uma exploração mais ou menos ampla da área onde ocorreu a anomalia. Este trabalho somente se encerra quando a teoria do paradigma for ajustada, de tal forma que o anômalo se tenha convertido no esperado. (Kuhn, 1962/2013, p. 128)*

Contudo, em alguns momentos, as anomalias resistem às tentativas de assimilação aos paradigmas atuais. Isso pode acontecer tanto pelo fato de a anomalia já carregar consigo os fundamentos de um novo paradigma mais eficiente, levando à substituição do antigo, ou somente pela impossibilidade de explicação do fato – enfraquecendo, assim, o paradigma atual sem a proposição de um novo, resultando em um estado de *crise*. Segundo o autor, estados de crise são marcados por certa anomia, na qual diversas teorias devem ser postuladas e entrar em concorrência, e a que for mais eficiente para explicar o fenômeno anômalo poderá ser utilizada na formulação de um novo paradigma.

Por outro lado, Kuhn aponta que esse processo de substituição causa grande resistência na comunidade científica, que seria, então, marcada por uma tendência à manutenção dos paradigmas existentes. Essa resistência pode ser entendida tanto como decorrente do estado de anomia causado por esses momentos em que o paradigma – que, até então, era suficiente para explicar uma série de fenômenos – mostra-se enfraquecido como também pelo fato de que uma mudança de paradigma é algo extremamente profundo, que acarreta modificações em diversos âmbitos da prática científica – desde a estrutura das explicações e referências teóricas até os modos de experimentação e instrumentos. Porém, muitas vezes a substituição é inevitável.

Segundo o autor, é desse modo que os principais desenvolvimentos científicos se dão, ou seja, a partir de anomalias, crises e substituições de paradigmas – ou, em outras palavras, a partir de *revoluções*. Embora a ciência normal seja essencial para o desenvolvimento e a aplicação dos paradigmas estabelecidos, é a chamada "ciência extraordinária" que faz com que ocorram saltos qualitativos do conhecimento, resultando nas mudanças mais significativas do pensamento e das suas aplicações.

No entanto, essa estrutura de funcionamento carrega consigo consequências que não podem passar despercebidas: uma vez que se defende que os modos de conhecer são definidos por paradigmas que podem ser substituídos, tem-se um grau de autonomia do conhecimento em relação à realidade, pois este seria produzido a partir de parâmetros escolhidos de maneira contingente. Além disso, uma estrutura assim entendida não suporta uma unicidade metodológica da ciência; ao contrário, vemos aí uma inversão na qual o método responde ao objeto. Aliás, não somente o método, mas todo o paradigma – ou seja, o modo de reconhecer problemas, propor e testar hipóteses – estaria subordinado ao objeto como fenômeno que pode não ser assimilado pelo modo atuante de conhecer.

Esse entendimento aponta, também, outra importante consequência acerca dos limites de comunicabilidade entre diferentes teorias quando são suportadas por paradigmas distintos. Vemos que existe algum ponto em que esses paradigmas são radicalmente diferentes, já que, se não o fossem, não haveria a necessidade de um novo paradigma para que se conseguisse explicar a anomalia. Consideremos, então, que:

> *a transição de um paradigma em crise para um novo, do qual pode surgir uma nova tradução de ciência normal, está longe de ser um processo cumulativo obtido por meio de uma articulação do velho paradigma. Era antes uma reconstrução da área de estudos a partir de novos princípios, reconstrução que altera alguma das generalizações teóricas mais elementares do paradigma, bem como muitos de seus métodos e aplicações. (Kuhn, 1962/2013, p. 169)*

Não se pode escapar ao fato de que essa incompatibilidade resulta numa ruptura significativa, a partir da qual não se pode mais pensar uma continuidade entre teorias, mesmo que da mesma área, mas que sofreram mudanças de paradigmas. É o que o autor chama de *incomensurabilidade*. Desse modo, encontra-se uma concepção de ciência que claramente abdica de uma ideia de unidade, tanto metodológica como teórica, apresentando as disciplinas científicas como campos marcados por rupturas essenciais e o conhecimento como algo produzido a partir de bases independentes entre si.

Antes de continuarmos esta discussão, parece interessante notar certa similaridade dos desenvolvimentos de Kuhn com a afirmação de Lacan sobre a psicanálise reintroduzir *O nome-do-Pai* na consideração científica. Como visto anteriormente, essa proposta pode ser entendida como um gesto de retorno à contingencialidade sobre a qual se constrói a cadeia significante (Rabinovich, 2010), fato não considerado por algumas abordagens da teoria da ciência.

Nesse sentido, podemos reconhecer uma homologia entre a proposição lacaniana e a proposta do livro de Kuhn, acontecimentos que, curiosamente, tiveram lugar em um mesmo período (*A estrutura das revoluções científicas* é publicado em 1962, enquanto a sessão do seminário que dá origem ao texto "A ciência e a verdade" foi proferida em 1965), sem que haja, todavia, indícios de qualquer espécie de diálogo entre os autores nesse momento.

É evidente que os modos como as questões são apresentadas resultam em efeitos distintos, mas a centralidade dessa crítica parece similar: ao contrário de um solo comum, a ciência seria produzida a partir de construções independentes, que podem (ou não) dialogar entre si. Isso é interessante porque desconstrói, em parte, certa ideia de originalidade da crítica lacaniana à ciência, muitas vezes difundida entre psicanalistas (Beividas, 2000), mas principalmente porque mostra outros modos de encaminhamento do mesmo problema.

Por outro lado, é patente que levar em consideração uma influência dela na história da ciência traz efeitos diretos sobre o modo como se pode pensar sua relação com a psicanálise. Pode-se, por exemplo, pensar a psicanálise justamente como uma anomalia que instauraria uma crise ainda não resolvida no pensamento científico. Isso se daria a partir da consideração de que certos desenvolvimentos psicanalíticos em relação ao inconsciente, incidindo diretamente sobre o que se pode entender a respeito da produção do conhecimento e da verdade, trariam questões que demandariam uma reorganização epistemológica. Por outro lado, não nos parece necessário ter a psicanálise como agente para pressupor esse tipo de consequência. O próprio desenvolvimento de Kuhn já instaura uma instabilidade epistemológica, de modo que concepções de uma ciência que trate da verdade absoluta, ou mesmo que defina enquanto regra a rejeição do sujeito, não pode ser generalizada, tampouco considerada como superior a outras. O que podemos seguramente depreender do pensamento desse autor é a explicitação da insuficiência de uma filosofia da ciência que entenda o progresso científico como o desenvolvimento necessário de um conhecimento independente de suas condições de produção – algo que deve ser levado em conta em qualquer consideração da racionalidade científica.

Outro autor que também participa desse debate e partilha posições similares com as apresentas até aqui é Paul Feyerabend. Colega de Kuhn na universidade de Berkeley, a obra desse autor – sempre lembrado por experimentar a tese da não unicidade do conhecimento científico em seus limites – parece levar ainda mais longe o tipo de pensamento até agora apresentado. De fato, Feyerabend ficou conhecido por seu "anarquismo metodológico", ou seja, por defender que a ciência deve sempre estar aberta a outros modos de pensamento, mesmo que esses modos não gozem de grande credibilidade.

Segundo o autor, a abertura para qualquer proposição explicativa nunca teria efeitos negativos – ao contrário, seria a recusa de encaminhamentos não ortodoxos que traria malefícios ao pensamento científico. É nesse sentido que ele defende a *contraindução* ou *método contraindutivo*, com a proposta de que o conhecimento seja pensado a partir de qualquer referencial, mesmo que não esteja previsto no campo de possibilidades das teorias aceitas (Feyerabend, 1978/2003). O autor formula essa ideia a partir da constatação de que, ao contrário do que se apresenta normalmente, o conhecimento científico é construído sobre uma base de crenças que determinam seu modo de funcionamento – de forma que seus resultados seriam contaminados –, pois a própria maneira de se olhar a natureza (fonte de dados) seria pré-determinada. Portanto, descartar teorias porque não se adequam às evidências seria um erro, uma vez que outro modo de se considerar as evidências poderia legitimar essas mesmas teorias:

> *A consideração de todas essas circunstâncias, de termos observacionais, núcleo sensorial, ciências auxiliares, especulação de pano de fundo, sugere que uma teoria pode ser inconsistente com a evidência não porque seja incorreta, mas porque a evidência está contaminada. A teoria é ameaçada porque a evidência ou contém sensações não analisadas que correspondem apenas parcialmente a processos externos, ou porque é apresentada em termos de concepções antiquadas, ou porque é avaliada com o auxílio de disciplinas auxiliares atrasadas. A teoria copernicana encontrava-se em dificuldades por todas essas razões.*

> *É esse caráter histórico-fisiológico da evidência, o fato de que ela não só descreve algum estado de coisas objetivo, mas também expressa concepções subjetivas, míticas e há muito esquecidas a respeito desse estado de coisas, que nos força a olhar de maneira nova para a metodologia. Mostra que seria extremamente imprudente permitir que a evidência julgue nossas teorias diretamente e sem mais cerimônia. Um julgamento direto e não qualificado das teorias pelos "fatos" com certeza eliminará ideias simplesmente porque não se ajustam ao referencial de uma cosmologia mais antiga.*

Assumir resultados experimentais e observações como dados e transferir o ônus da prova para a teoria significa admitir a ideologia observacional como dada sem sequer tê-la examinado. (Feyerabend, 1978/2003, p. 87)[13]

Por outro lado, esse tipo de questionamento coloca um sério problema sobre como se pode, então, avaliar a pertinência das teorias. Segundo o autor, é necessário que se faça justamente o contrário de confiar em seus próprios parâmetros: deve-se buscar sistemas conceituais alternativos (ou mesmo criá-los), que possam ser usados como "padrões de medidas". Teorias que tratem do mesmo objeto, mas que apresentem resultados distintos ou explicações diferentes, mesmo que sejam importados da mitologia ou da religião. "Esse passo é, mais uma vez, contra-indutivo. A contraindução é, assim, tanto um fato – a ciência não pode existir sem ela – quanto um lance legítimo e muito necessário no jogo da ciência" (Feyerabend, 1978/2003, p. 88).

É nesses moldes que Feyerabend encaminha algumas de suas afirmações mais polêmicas, em que afirma que não devemos atribuir ao conhecimento científico uma superioridade necessária em relação à religião e a outras formas de explicar fenômenos. Trata-se de uma posição bastante radical; contudo, como se pode ver, os argumentos que o levam a esses pontos são de grande interesse para o tema aqui tratado.[14] Grande parte do livro *Contra o método*

---

13 Sem dúvida, o ponto ressaltado por Feyerabend em relação à ideologia da evidência é extremamente relevante em discussões acerca da psicopatologia atual, uma vez a "medicina baseada em evidências" parece funcionar como uma referência de autoridade praticamente incontestável.

14 O contato com alguns textos de Feyerabend revela um pensamento extremamente complexo, tanto pelas ideias defendidas como pelo modo de escrita do autor. Vê-se, especialmente a partir de *Contra o método* e *Adeus à razão*, textos cujas reedições são comentadas pelo autor – mudanças de posicionamento

é dedicada a provar que a aceitação das ideias de Galileu depende justamente de um trabalho muitas vezes retórico, no qual o cientista italiano estabelece as bases nas quais suas ideias (e as de Copérnico) podem ser aceitas.

Isso acontece, segundo Feyerabend, mesmo com a defesa de argumentos incorretos que são dados como certos (e que posteriormente seriam corrigidos). Desse modo, o autor tenta provar como, diferentemente de uma relação direta com a realidade, o método científico depende do estabelecimento de um solo conceitual (algo bastante próximo da ideia de paradigma apresentada por Kuhn), sobre o qual o objeto pode ser tratado de maneira adequada; e como há, inclusive, um grande esforço de adequação da teoria à realidade – explicitando, assim, a cisão entre conhecimento e verdade. Esse solo conceitual pode, portanto, ser substituído por outro que se mostre mais interessante e a busca por explicações que não obedeçam ao mesmo conjunto de regras já estabelecidas e aceitas seria a atitude mais produtiva em relação ao conhecimento.

Pensando no objeto de nosso estudo, os autores trabalhados apresentam interessantes possibilidades de encaminhamento. A partir das considerações de Kuhn e Feyerabend, é bastante fácil pensar a psicanálise como resultante de uma anomalia, uma disciplina construída em torno de fenômenos que as ciências existentes não conseguem explicar satisfatoriamente, demandando um novo paradigma. No entanto, não parece possível afirmar que os desenvolvimentos psicanalíticos são aceitos como (ou a partir de um) paradigma estável, e inúmeras razões podem ser levantadas para explicar isso.

---

e até mesmo recuos em relação a alguns pontos extremos defendidos que se tornaram grandes polêmicas e foram alvos de críticas ferozes. Dessa maneira, parece que parte de seu modo de escrever pauta-se em provocações que, como foi dito, o autor não hesita em reformular. Assim, deve-se tomar bastante cuidado para não perder algumas passagens extremamente ricas e rigorosas, risco que se corre ao se colocar o foco somente nesses momentos polêmicos.

114 UM TRAJETO NA CIÊNCIA

Por um lado, pode-se pensar em resistência, hipótese inclusive já apontada por Freud em *Uma dificuldade da psicanálise* (Freud, 1917/2010). É interessante o fato de que, mesmo que Kuhn não faça menção a Freud quando utiliza o termo "resistência" em *A estrutura das revoluções científicas*, sua argumentação é similar à do psicanalista. Freud afirma que as dificuldades de assimilação da teoria analítica seriam decorrentes de uma ferida narcísica causada pela retirada do "homem racional" como centro do conhecimento – ferida reconhecida, também, em outros momentos, como as proposições de Copérnico e Darwin. Contudo, deve-se reconhecer que essa argumentação freudiana é dependente da própria teoria psicanalítica, fato problemático na defesa da legitimidade de uma disciplina, devido à circularidade do argumento.

Por outro lado, pode-se pensar a dificuldade da estruturação da psicanálise como uma ciência como resultante de um desarranjo demasiadamente profundo do modo de se produzir conhecimento. Mesmo que reconheçamos uma base de dependência da psicanálise de certa racionalidade científica, presente no momento de sua emergência, os próprios desenvolvimentos psicanalíticos parecem trazer grande instabilidade a alguns modos de organização e de entendimento do próprio conhecimento científico. O que parece produzir impasses é uma dificuldade de aproximar as bases dessa produção psicanalítica de demandas de reconhecimento do pensamento científico que poderia se modificar.

Nesse sentido, retomamos a possibilidade de se pensar a psicanálise como uma anomalia ainda não resolvida, pois se debruçaria em problemas que demandam um modo de abordagem tão distinto que, muitas vezes, indica-se a impossibilidade de assimilação dessa disciplina no campo científico – posição, aliás, frequentemente assumida por psicanalistas. Outra opção seria a postulação de um modo alternativo de estruturação do conhecimento, possibilitando, assim, o estabelecimento de um novo paradigma e de outro modo de fazer ciência.

Vemos que é um tema extremamente complexo, ainda mais se consideramos que existe um trânsito entre questões que parecem ser conceitualizadas ou formalizadas com bastante sucesso e outras que não – e que restam como noções ainda bastante plásticas (fato este que constitui, inclusive, um importante tema para a psicanálise, sobre a possibilidade, ou não, de conceitualização e formalização de certas experiências). Deve-se evitar, portanto, a indiscriminação entre essas duas classes de fenômenos, atitude essencial, inclusive, para que seja possível haver pontos de diálogo da psicanálise com outras disciplinas: como já indicado, há uma parte da experiência analítica que diz respeito à singularidade em seu extremo e, portanto, de impossível generalização. Isso não significa, contudo, que nada possa ser generalizado.

Isso nos leva a outro ponto a ser considerado: mesmo acompanhando os argumentos de Kuhn e Feyerabend sobre a heterogeneidade da ciência, isso não significa que qualquer modelo de pensamento possa ser considerado científico. Em outras palavras, mesmo que possamos estabelecer um corpo conceitual sólido e que forneça explicações úteis e coerentes sobre os fenômenos estudados (algo que me parece, aliás, já realizado pela teoria psicanalítica), isso não significa que se trate de uma ciência.

De fato, deve-se tomar cuidado para não cair em um relativismo absoluto, ponto que seria incorreto atribuir aos autores até aqui citados, mas ao qual não raramente se chega com uma leitura extremada de suas ideias. Vê-se, seguramente, que eles operam uma crítica a ideias extremas de unicidade e ao caráter absoluto assegurado ao pensamento científico; porém, mesmo frente à negatividade de seus argumentos, não é possível depreender que tudo possa ser considerado ciência.[15] Eles não entram, ao menos nos livros estudados, no mérito de

---

15 Mesmo o "tudo vale" de Feyerabend não significa que tudo possa ser considerado científico, mas, antes, que pensamentos não científicos devam também ser valorizados.

116 UM TRAJETO NA CIÊNCIA

determinar o que legitima o predicado "científico". Mas, sem dúvida, pode-se considerar que ideais de ciência que postulem a exclusão do sujeito ou mesmo a produção de uma verdade absoluta não seriam facilmente aceitos, ao menos não enquanto uma norma em si. Desse modo, traremos outro autor para a discussão.

Granger e as ciências

Segundo Gilles-Gaston Granger (1993), é o modo de visar o objeto que define a especificidade da ciência em relação a outros saberes. Granger é um autor bastante interessante para nosso estudo, em parte por ser um autor francês, mas com uma posição marcadamente mais definida em relação à definição de parâmetros que permitem a consideração de um conhecimento como científico, além da hierarquização a partir do valor inferido a diferentes modos de produção de conhecimento (ponto em que discorda não somente de Kuhn e Feyerabend, mas também de importantes autores conterrâneos, como Bachelard, Foucault etc.); e também por ter uma ampla obra sobre o tema, de modo que se pode reconhecer o desenvolvimento de um diálogo com autores que sustentam posições diferentes das dele e, assim, acompanhar certas mudanças que foram ocorrendo.

Se no Capítulo 1 utilizamos alguns de seus desenvolvimentos presentes em *Pensée formelle et sciences de l'homme* (*Pensamento formal e ciências humanas*, Granger, 1960/1967), a obra que teremos em consideração agora é muito mais recente e mostra alguma flexibilização em relação ao livro produzido trinta anos antes. Isso não significa que ele tenha mudado seu posicionamento; entretanto, pode-se notar que o autor realiza algumas modificações a partir dos desenvolvimentos que vinham acontecendo no campo. Como dissemos, ele parte da ideia de que o traço singular da ciência é seu modo de abordagem. Desse modo, aponta três pontos cruciais que definem esse modo de visar o objeto:

Primeiramente, o fato de a ciência ser uma "visão de realidade". Isso significa que toda e qualquer atividade científica sempre tem como finalidade a produção de um conhecimento sobre o mundo real. Esse posicionamento não exclui categorias como criatividade ou inventividade, mas aponta para o fato de que todos os esforços sempre se dirigem, em última instância, à realidade – o que está em perfeita consonância com o que foi até aqui exposto sobre Koyré, Kuhn e Feyerabend.

Em segundo lugar, Granger afirma que a ciência não tem como objetivo principal agir sobre seus objetos, mas, sim, descrevê-los e explicá-los. A aplicação do conhecimento produzido liga-se ao que o autor aponta como o entrelaçamento entre ciência e técnica;[16] todavia, não devemos supor que a possibilidade de ação seja um objetivo maior da ciência.

> *Enquanto tal, a ciência não deixa de ser desinteressada e até, de certa maneira, lúdica: a busca do saber pelo cientista é um trabalho intenso, mas também um jogo. De qualquer forma, o primeiro objeto da visão é a satisfação de compreender e de modo algum agir. (Granger, 1993, p. 47)*

---

16 Pode-se reconhecer certa proximidade entre o que Granger define como técnica e o que Koyré situa, em seu debate acerca da emergência da ciência moderna, como ciência medieval. De fato, o argumento deste último explicita o caráter fundante da teorização e conceitualização da experiência, apontando principalmente a possibilidade de um trabalho conceitual abstrato e os desenvolvimentos disto decorrentes. Desse modo, ambos são bastante claros tanto na distinção de duas formas de saber como na valorização da ciência como saber superior ao saber técnico, mesmo que em diversos casos esses dois campos possam se entrelaçar.

Como afirma Granger, mesmo que nos dias de hoje seja praticamente impossível notar um progresso técnico relevante sem o recurso ao conhecimento científico, a história nos mostra que, por muito tempo, a técnica pôde se desenvolver de maneira autônoma, independente dos processos de abstração e conceitualização.

118 UM TRAJETO NA CIÊNCIA

Finalmente, o autor aponta que a ciência deve sempre se preocupar com critérios de validação: "Um saber acerca da experiência só é científico se contiver indicações sobre a maneira como foi obtido, suficientes para que as suas condições possam ser reproduzidas" (Granger, 1993, p. 47). Segundo o autor, a necessidade de validação torna o conhecimento público, uma vez que pode ser reproduzido e controlado por outros. Contudo, existe uma questão epistemológica importante, uma vez que dificilmente se poder tratar um enunciado científico de maneira isolada. Nesse sentido, o controle de um fato científico se dá não como a explicação de um acontecimento em seu todo, mas pela *interpretação* de um fato no interior de uma teoria.

Contudo, a ideia de teoria também é bastante delimitada: trata-se de um conjunto definido de enunciados, formulados ou potencialmente formuláveis. O conjunto responde a regras próprias, de modo que qualquer dedução decorrente de sentenças da teoria também faz parte desta. Além disso, a teoria não trata, necessariamente, de fatos *atuais*, mas, com maior frequência, de fatos *virtuais*, que respondem à rede conceitual da teoria, mas que não precisam ser realizáveis imediatamente. Pensando ainda na validação de uma teoria, Granger indica que a possibilidade de fazer predições corretas pode ser considerada um critério de validação, mas no sentido de que seja possível fazer predições de fatos virtuais, ou seja, ainda um tanto indeterminadas em relação à realidade.

Mesmo circunscrevendo com clareza esses três pressupostos como específicos do modo científico de consideração do objeto, o autor ressalta que eles não constituem um método. Desse modo, apresenta-se uma visão abrangente da ciência, que define uma espécie de espírito como característica essencial e permite uma pluralidade de métodos em acordo com as necessidades de cada área:

> *É por isso que não acreditei poder caracterizar a unidade da ciência por um verdadeiro método, e sim, de*

> *preferência, indicar mais geralmente sua* visão. *De sorte que essa unidade do pensamento científico aparece mais como um projeto do que como um dogma. Projeto cujo vigor tentamos mostrar, mas que não poderia ocultar-nos a extraordinária diversidade das formas do conhecimento científico. (Granger, 1993, p. 51, grifos do autor)*

Contudo, por mais que esse posicionamento possa parecer similar aos de Kuhn e Feyerabend, deve-se notar que Granger critica com bastante assertividade algumas ideais por eles apresentadas. É interessante reconhecer, todavia, que ele mesmo sustenta alguns posicionamentos críticos próximos a esses autores, mas parece discordar em relação ao que se propõe como alternativa. Sobre o anarquismo de Feyerabend, ele escreve:

> *O aspecto positivo deste anarquismo consiste, sem dúvida, numa crítica violenta ao conservadorismo e ao dogmatismo, sublinhando a mobilidade do conhecimento científico e sua abertura às novidades. Seu aspecto negativo vem da insistência em considerar a diversidade, ou até a incoerência, como um valor em si, e a indiferença em procurar critérios de decisão e de escolha entre as teorias, exagero este que, a meu ver, desqualifica a doutrina. (Granger, 1993, p. 43)*

Granger apresenta a teoria de Feyerabend de maneira bastante crítica, apontando fragilidade em seus exemplos "não totalmente convincentes" e suas virtudes como se devendo apenas ao reforço de algo não inteiramente novo, já vivenciado desde a emergência da ciência moderna. No entanto, é interessante o fato de o próprio Granger apresentar o posicionamento de Feyerabend como um tanto juvenil em relação a outros posicionamentos do próprio autor que, segundo ele, "fez contribuições sérias e eruditas à história da ciência e à epistemologia da física contemporânea" (Granger, 1993, p. 42). De fato, é sobre a não unicidade do pensamento científico que o francês concentra suas críticas tanto a Feyerabend como a Kuhn, argumentando que essa situação de multiplicidade de concepções de ciência estaria presente em contextos (ou disciplinas) protocientíficas, o que seria superado com o desenvolvimento do campo. Contudo, vemos que a unidade científica defendida por ele não corresponde a um método nem a regras lógicas ou experimentais predeterminadas, mas a uma *visão* bastante plástica que, como estamos construindo, tem como necessidade a formalização e a validação de seus objetos e teorias.

Além disso, Granger afirma que a diversidade da ciência revela uma unidade consistente ao se analisar o modo de uso da linguagem praticado pelos diferentes campos, que recorreriam ao uso de sistemas simbólicos fechados e formais, que teriam por característica a determinação de regras do uso da linguagem. Desse modo, esses sistemas seriam compostos por um "conjunto finito de signos elementares", conjunto este formado a partir da distinção daquilo que seria "pertinente, ou seja, suficiente e necessário para significar". E, finalmente, este uso da linguagem seria marcado pela existência de "*regras de concatenação* dos signos, cuja observância possibilita distinguir sem ambiguidade, pelo menos entre as expressões finitas, se elas são *bem formadas*" (Granger, 1993, p. 52, grifos do autor).[17]

Ao indicar que as ciências usualmente se desenvolvem no sentido da construção de um sistema simbólico formal, passando pela

---

17 Vemos, aqui, a necessidade de que a linguagem científica se estruture de modo unívoco, tanto semanticamente (um signo significa somente uma coisa) como sintaticamente (a relação entre os signos só pode ser compreendida de uma maneira).

conceitualização de fatos e sua representação por signos até o estabelecimento de uma sintaxe que regule as relações entre os símbolos, Granger ressalta que a criação de uma linguagem significa uma ampliação das possibilidades de operação conceitual, pois permite construções abstratas cada vez mais complexas. Entretanto, pode-se reconhecer, ao mesmo tempo, limitações decorrentes desse processo, uma vez que a necessidade de adequação a um sistema simbólico definido pode acabar por rejeitar fatos que demandem outros meios de articulação.

A partir dessa definição da *visão* e da *linguagem* da ciência, Granger propõe a centralidade de uma divisão entre as *ciências formais* e as *ciências da empiria* (as quais serão novamente subdividas para a inclusão das *ciências humanas*). Segundo ele, a matemática é a primeira disciplina a constituir-se como ciência e serve de modelo para as demais.[18] Todavia, não se deve presumir qualquer tipo de primitividade nisso, pois há grande complexidade na construção de seus objetos, já que, se por um lado eles não são derivados, necessariamente, de fatos da realidade, tampouco são construções nominalistas (o que vemos no fato de que os objetos apresentam grande aplicabilidade empírica, além de terem propriedades não demonstradas bem definidas). Além disso, é notável que esses objetos demonstrem grande consistência, apresentando fatos irredutíveis ao pensamento. O autor aponta que, além de criar objetos extremamente complexos e consistentes, a matemática cria, junto com isso, modos de operação entre esses objetos: "É o que gostaríamos de justificar, interpretando a criação matemática como instituindo uma correlação entre os objetos que ela suscita e sistemas de operações que ela organiza" (Granger, 1993, p. 63).

---

18 É interessante notar que, de maneira similar a como Granger posiciona a matemática como referência do pensamento científico, Kuhn comenta sobre o fato de os paradigmas matemáticos serem estáveis, o que pode ser visto como um ponto de convergência entre os dois autores.

Nesse sentido, a matemática serve de modelo de criação de objetos possíveis e, consequentemente, como um modo de realização de operações destes. Assim, a criação de objetos matemáticos implica a criação de novas possibilidades de operações, o que pode ter como efeito avanços significativos ao conhecimento, inclusive ao conhecimento empírico e humano:

> *Se alguns deles se revelam próprios para servirem de quadro a uma descrição da experiência nas ciências da natureza ou do homem, é porque a matemática é uma teoria geral das formas de objetos possíveis. (Granger, 1993, p. 66, grifos do autor)*

No entanto, o autor é cuidadoso ao apontar que, embora a matemática possa estabelecer objetos e relações consistentes e estáveis, isso não significa um caráter de verdade atemporal, uma vez que as possibilidades de verificação nunca podem ser aplicadas aos princípios primeiros de proposição, que necessitam, para que possam funcionar, de certa arbitrariedade: "Assim, ela continua a fornecer às outras ciências um paradigma de conhecimento rigoroso, mesmo sabendo que o rigor é sempre relativo e que o fundamento absoluto não é alcançado" (Granger, 1993, p. 70).

Ao se tratar dos objetos da empiria, deve-se, então, ter sempre em vista a formalização matemática, de modo que:

> *O conhecimento científico do que depende da experiência consiste sempre em construir esquemas ou modelos abstratos dessa experiência, e em explorar, por meio da lógica e das matemáticas, as relações entre os elementos abstratos desses modelos, para finalmente deduzir daí propriedades que correspondam, com uma precisão suficiente, a propriedades empíricas diretamente observáveis. (Granger, 1993, p. 70, grifos do autor)*

A partir disso, podemos reconhecer como pontos centrais a descrição e a análise das relações entre experiência empírica e abstração; o exame das teorias (organizações das abstrações); e o exame dos métodos de validação do conhecimento. Ademais, ressalta-se que mesmo as ciências empíricas tratam somente de objetos abstratos, os quais seriam parcialmente associáveis a fenômenos a partir de uma redução dos fenômenos a objetos científicos – processo que acarreta, inevitavelmente, a perda de parte considerável das propriedades sensíveis dos fenômenos. Essa redução permite que os objetos se apresentem em uma linguagem matemática e, assim, que se possa investigá-los de maneira abstrata.

Para além dos objetos, Granger indica, também, a importância das teorias na ciência. Como já visto, a teoria seria o modo de organização dos objetos abstratos e suas operações. Ela comporta, evidentemente, dados empíricos; porém, o autor ressalta a importância dos "elementos teóricos, e particularmente matemáticos, não só na formulação das teorias, como também, e sobretudo, na *invenção dos conceitos*" (Granger, 1993, p. 78, grifos do autor). Nesse sentido, para além dos dados observados, insiste-se na importância da formulação de hipóteses e das operações formais no desenvolvimento de uma ciência.

No entanto, como apontado anteriormente, para além da definição do objeto e da constituição de teorias, a validação é apresentada como condição necessária para a constituição de uma ciência: "É uma condição essencial da cientificidade de um enunciado empírico *dar azo* a um controle" (Granger, 1993, p. 79). A importância desse aspecto se dá justamente por tornar pública a confiabilidade que se pode ter em um conjunto de ideias.

Um dos modelos mais famosos de validação conceitual é o conhecido *critério de refutabilidade* popperiano, que tem como base a possibilidade *virtual* de que uma ideia possa ser provada errada.

No entanto, Granger indica que desenvolvimentos posteriores relativizam o alcance dessa proposta, sustentando que há inúmeros casos em que a refutação não é uma possibilidade lógica, sem, no entanto, invalidar a teoria. Por outro lado, existem métodos positivos de validação, como a aproximação, que consiste em certa coincidência entre resultados encontrados em fatos virtuais e em fatos empíricos, indicando o grau de confiança que se pode ter em dada teoria. Desse modo, tendo em consideração a construção do objeto, a estruturação teórica e os controles, podemos sintetizar o que Granger define como ciência empírica:

> Vemos, assim, o conhecimento científico dos fatos físicos e biológicos organizarem-se necessariamente em sistemas teóricos, estruturados graças às formas possíveis construídas pelas matemáticas, e fazerem frente aos controles renovados da experiência. (Granger, 1993, p. 84)

Contudo, ao tratar das ciências humanas, Granger defende que a maior dificuldade em se estabelecer o predicado "científico" aos conhecimentos desses fatos é a impossibilidade de reduzir os fatos dos homens a *objetos*, por serem carregados de *significações*. Esses fatos dificilmente seriam reduzidos a esquemas abstratos; portanto, diz o autor, não se trata de reduzi-los, mas, sim, de representá-los (Granger, 1993).

Para Granger, a história representa um caso particular. Retomemos, aqui, alguns pontos trabalhados no Capítulo 1, quando indicamos certa proximidade do pensamento lacaniano de desenvolvimentos do epistemólogo francês. Segundo ele, essa disciplina está submetida às mesmas regras que aquelas que tratam de fatos da natureza, mas com uma diferença essencial: a história teria como objetivo a representação mais fiel possível do fato, colocando-se no polo oposto da abstração ou redução conceitual. É claro que a história não se reduz a isso, tentando também estabelecer relações explicativas dos ocorridos – ponto no qual o autor nota sua intersecção com outros saberes, como a sociologia ou a economia. Mas, quanto à pesquisa, os fatos estabelecidos pela história teriam grande valor para as ciências humanas, funcionando de modo análogo aos objetos empíricos: "Em compensação, os fatos estabelecidos, senão explicados, pela história constituem, evidentemente, um dos principais materiais das outras ciências humanas" (Granger, 1993, p. 87).

No entanto, os fatos históricos teriam, em realidade, uma relação de oposição aos conceitos matemáticos, por se constituírem justamente como fatos concretos, o contrário do conceito formal. Nesse sentido, pode-se estabelecer um espaço de oscilação entre dois polos: de um lado, a matemática – e a formalização radical –, de outro, a história – com a concretude. As diversas disciplinas científicas se espalhariam nesse meio, de modo que aquelas sujeitas a maior formalização – e, portanto, mais próximas à matemática – gozariam de maior rigor, característica decorrente das possibilidades de controle e precisão provenientes de operações formais; por outro lado, aponta-se que a formalização traz consigo uma perda de exatidão, que significa que o retorno à realidade acontece de modo mais mediado e suscetível a incorreções. Desse modo, apresentam-se menos possibilidades de formalização e operações conceituais às ciências humanas, mas estas ganham em proximidade da realidade.

Isso se mostra, de fato, como uma característica relevante de um conhecimento derivado de uma clínica. A princípio, Granger faz uma divisão entre ciência e clínica, apontando que, enquanto a ciência se caracteriza por um determinado modo de estruturação da produção de conhecimento que deve visar ao universal (por mais que se saiba que isso não é alcançável), a clínica teria como fator principal a eficácia na ação em situações particulares, de modo que dificilmente se poderia encontrar nela as condições para uma produção rigorosamente científica – especialmente pela impossibilidade de controle, que demandaria um espaço de experimentação não adequado a demandas clínicas. Por outro lado, a ideia de que a clínica se ocupa, em certo sentido, de particulares (que, de algum modo, fazem parte de um todo) permite que um conhecimento seja, sim, estruturado, tendo-se em vista a relação com uma estrutura que os contenha.

Entretanto, essa maior dificuldade de formalização resultaria na necessidade de importação de diferentes modelos explicativos desenvolvidos em outras áreas, sendo que muitas vezes um fenômeno é explicado a partir de modelos totalmente distintos, sem que se possa escolher um mais adequado. Isso é apontado como sinal de um nível baixo de conceitualização, além de falta de segurança e arbitrariedade. Vemos que o autor aponta, portanto, essa pluralidade de encaminhamentos das questões das ciências humanas como um sinal de inferioridade destas em relação às ciências naturais.

Ademais, Granger apresenta como característica geral das ciências humanas um uso da linguagem bastante próximo do uso cotidiano, sem grande elaboração. Diferentemente das outras ciências empíricas – em que se tem como objetivo o uso de uma linguagem reduzida ao mínimo necessário para a formalização conceitual –, o uso de uma linguagem ampliada é importante nas ciências humanas, nas quais as significações se mostram como fator importante a ser considerado. Isso se dá pela grande complexidade das situações em que são observados os fatos, de modo que a primeira tarefa da ciência seria, aí, recortar os fatos *visados*, conservando, todavia, suas características essenciais.

> No primeiro exemplo tomado de Freud, esse despojamento é mínimo, já que a análise procura desvelar sob suas expressões verbais uma intimidade de início estritamente individual, para interpretá-la, é verdade, à luz de mecanismos supostamente universais, mas sem visar, ao que parece, a transpor as configurações assim reveladas em modelos abstratos destacáveis da realidade de histórias individuais. Assim, a psicanálise, mais do

que *uma* ciência *do psiquismo, deve ser considerada como uma arte interpretativa e, eventualmente, curativa. (Granger, 1993, p. 89, grifos do autor)*

Frente a essa colocação, parece-nos que os desenvolvimentos de Lacan trazem inovações justamente nisso que Granger apresenta como faltante, "visar transpor as configurações reveladas em modelos abstratos destacáveis". Sem entrar na discussão se isso é realmente afirmável em relação a Freud, os inúmeros modelos de formalização propostos por Lacan parecem tentar responder a essa carência.

Finalmente, a última questão que devemos considerar diz respeito à validação, em relação à qual o autor aponta que, ao partilhar a visão das ciências da natureza, as ciências humanas enfrentam os mesmos problemas. Em relação à história, o autor aponta a impossibilidade de repetição da observação de fenômenos idênticos:

> *No máximo, poder-se-á tentar aplicar a explicação em questão à explicação dos acontecimentos considerados comparáveis, encarados, portanto, como representativos de uma classe de acontecimentos, apesar da singularidade irredutível que é, justamente, própria de sua historicidade. Além disso, essa validação fraca só conserva seu sentido se tivermos o cuidado de distinguir a explicação histórica de uma interpretação ideológica ou filosófica, já que a primeira se furta de fato, dogmaticamente, a toda validação, e a segunda não propõe uma explicação de fatos, e sim busca-lhes uma significação, situando-os numa totalidade imaginada. (Granger, 1993, p. 98)*

Em relação às outras ciências humanas, o autor defende que os enunciados que visam majoritariamente ao estabelecimento de fatos podem recorrer ao uso da estatística. Quanto aos mais focados em questões teóricas, eles apresentam os mesmos problemas que as ciências da natureza, mas aprofundados pela facilidade de "troca" de uma abstração conceitual complexa por formas ingênuas de apresentação dos fatos, e pelo risco de se cair numa reprodução ideológica do conhecimento.

Sem dúvida, trata-se de uma questão de extrema importância para o tema aqui estudado, pois se pode reconhecer um movimento que tenta dar outro destino a problemas de formalização e conceitualização na psicanálise; a questão da validação continua a ser bastante controversa, especialmente se considerarmos a validação como a abertura do pensamento a outros saberes.

Se há algo que podemos seguramente reconhecer no pensamento dos três autores até aqui indicados, é a necessidade de que o conhecimento científico seja público. Se Kuhn e Feyerabend indicam a importância de se poder reconhecer as contingências em que o conhecimento é produzido – de modo a estabelecer as relações de poder ali presentes e permitir que o desenvolvimento de cada disciplina não se limite simplesmente à reprodução das relações de poder já estabelecidas –, Granger localiza na validação uma característica central do conhecimento científico. Como vimos, é num traço da própria validação, que deve ser possível em outros momentos e lugares que não somente aquele em que a teoria foi produzida, que reside a demanda de reprodutibilidade – a qual, nessas condições, perde um caráter puramente normativo ou idealizado e ganha um contorno político: a possibilidade de replicação e de realização de outros testes de validade responde, em última instância, a essa característica de um conhecimento que não deve ser exclusividade somente de alguns.

Nessa esteira, a célebre demanda de exclusão do sujeito (ou mesmo de forclusão – seja do sujeito, seja da verdade como causa) ganha outro sentido. Vemos que o que está em jogo remete, novamente, a esse esforço de se produzir um conhecimento acessível, que possa ser assimilado e utilizado por outros agentes e em outras situações – algo que, em determinados momentos do desenvolvimento do pensamento científico, ganhou a forma de uma regra de exclusão da subjetividade. Entretanto, como vemos, esta regra não é encontrada em autores mais recentes, pois a presença do sujeito não é necessariamente um impedimento.

Se tomarmos o cuidado de Granger em sempre salientar a distinção entre a ciência como visão e a sua consideração enquanto um método, veremos que nesse esforço reside esta flexibilização, que nada mais é do que uma separação entre eventuais normatizações e reificações – que, em alguma medida, incidem em qualquer construção de pensamento – e aquilo ao que realmente se visa como objetivo.

Desse modo, compreendemos que, antes do que qualquer tipo de aplicabilidade ou de reprodução de certas relações de poder, o empreendimento científico é entendido como respondendo a um horizonte ético, no qual a produção de um conhecimento consistente deve ser realizada com o máximo de independência, além de também ser público, tanto quanto possível.

Entretanto, notamos que, nessa perspectiva, o encaminhamento dado por Granger não é o único, e é possível encontrar autores que não estabelecem uma relação tão incisiva entre matematização e formalização. De fato, mesmo que Granger seja bastante claro em relação ao maior valor de teorias que podem ser matematizadas, vemos que ele também apresenta certa flexibilização em relação à grande diversidade que se pode encontrar considerando as diferentes ciências estabelecidas.

Desse modo, retomemos, então, o enfoque de nossa discussão sobre a psicanálise e, agora com um panorama já mais atualizado, partamos para discussões que pensem com maior profundidade as possibilidades de relação. Como pudemos estabelecer, o ponto crucial mostra-se como a possibilidade de validação do pensamento psicanalítico, em especial uma validação que se mostre aberta e acessível a abordagens de pesquisadores externos, que não necessariamente partilhem certos pressupostos da psicanálise.

3. A validação experimental

Como vimos no Capítulo 2, o campo da filosofia da ciência passou por grandes transformações durante o século XX. Se em um dos extremos podemos encontrar o "anarquismo" metodológico de Paul Feyerabend, por outro lado, vemos que mesmo em posições mais conservadoras, como a de Gilles-Gaston Granger, pode-se notar uma abertura em relação a ideais rigorosamente demarcados daquilo que seria o traço comum de todas as ciências. Seja na localização, por parte de Granger, da ciência como uma "forma de visar o objeto" (Granger, 1993) e não como um método específico, ou mesmo por posições como de Kuhn, ao indicar a ciência normal como uma atividade de resolução de quebra-cabeças – que teria sua metodologia e seus paradigmas em constante insuficiência –, vê-se que a filosofia da ciência perde certa ambição universalista e ganha profundidade em considerações mais delimitadas.

Nesse sentido, em vez de esforços na direção do estabelecimento de uma metaciência que serviria como referência para todas as outras, cada campo específico começa a ser tratado em sua singularidade, produzindo-se, assim, filosofias da ciência "locais" (Rheinberger, 2014): vemos discussões específicas sobre filosofia da ciência da física (como aquelas encontradas em Prigogine, 2011, por exemplo), sobre filosofia da ciência da biologia (por exemplo, Keller, 2005; Prochiantz, 2012), entre outros. Nesse cenário de marcada pluralidade, parece-nos que, mais que adequação a certos ideais metodológicos generalizados, o que se demanda das teorias produzidas é a possibilidade de verificação e compreensão a partir de pontos externos e independentes.

Não que a produção de pontos de consideração externos seja sempre possível; isso é, de fato, mote de uma profunda discussão como a que encontramos em Dancy (1985/1993), segundo a qual seria possível encontrar uma divisão possível entre as ciências: existiriam aquelas "internalistas" – que trabalhariam a partir de referenciais absolutamente contidos em seus próprios desenvolvimentos – e as "externalistas" – que procurariam pontos externos independentes de referência. Como foi desenvolvido nos capítulos anteriores, um posicionamento internalista da psicanálise parece ser problemático, uma vez que seu lugar tradicional de validação (a clínica) se mostra extremamente privado. Indicamos, nesse sentido, a importância de se pensar possibilidades de validação extraclínica. Deve-se notar que estamos trabalhando aqui com a ideia de validação conceitual, na esteira dos autores que apresentamos até então. Essa ressalva é necessária, uma vez que, especialmente em relação à psicanálise, também são importantes os estudos de validação clínica, que discutem a eficácia do tratamento. Nosso foco, portanto, é outro. Como apontado por Granger, trataremos da validação dos conceitos enquanto retorno da formalização à experiência.

Psicanálise e validação

Talvez o filósofo que com mais afinco realizou uma aproximação entre psicanálise e filosofia da ciência seja Adolf Grünbaum. Conhecido professor e diretor do Centro de Filosofia da Ciência da

Universidade de Pittsburgh, Grünbaum dedicou-se a um exame minucioso da obra freudiana e das suas relações com a ciência, posicionando-se de maneira extremamente crítica.

É bastante curioso que, mesmo apontando insistentemente falhas na construção do pensamento psicanalítico, o autor preocupou-se em responder às críticas de Popper em relação à não falseabilidade da psicanálise. Segundo ele, a psicanálise pode, sim, ser provada errada – e, de alguma maneira, é disso que se trata seu célebre *The foundations of psychoanalysis* (*Os fundamentos da psicanálise*, Grünbaum, 1984).

Para além de qualquer discussão epistemológica que se possa reconhecer a partir dos desenvolvimentos psicanalíticos, Grünbaum concentra suas críticas – como explicitado no próprio título do livro – nas bases sobre as quais se constrói o pensamento freudiano, ou, em outras palavras, a validade da observação clínica na construção de uma teoria. Ele parte, assim, de textos centrais do início da produção de Freud (especialmente sobre sonhos e sobre o método da associação livre no tratamento da histeria), estabelecendo uma crítica ao modo como certos conceitos seriam construídos em bases não confiáveis. Segundo o autor, dificilmente se pode mostrar evidências que sustentem a independência da argumentação freudiana de um movimento circular – apontado por ele como o *argumento da adequação* (*tally argument*) –, no qual haveria uma correspondência produzida pelo analista entre suas interpretações e a causa dos sintomas do paciente, e essa circularidade seria responsável pela aparente cura. Como diz o filósofo, a base desse funcionamento, segundo o próprio Freud, seria a transferência, um conceito que permitiria deixar obscuras as causas da melhora dos pacientes, uma vez que não seria possível separar o que diria respeito aos sintomas em si e o que seria construído no próprio tratamento. Assim, não seria possível excluir a possibilidade de haver uma circularidade ou, em suas palavras, contaminação dos resultados – uma vez que os motivos de sucesso, assim como os de fracasso, seriam autorreferidos.

134 A VALIDAÇÃO EXPERIMENTAL

Nesse sentido, Grünbaum afirma não ser possível definir a incidência do efeito placebo na clínica psicanalítica, podendo, então, supor que seus efeitos não tenham nenhuma relação de necessidade com as explicações dadas. Isso implica, além de uma crítica incisiva à clínica, um forte golpe à epistemologia derivada desta, uma vez que o autor aponta que esses conceitos só teriam sustentação pela efetividade do tratamento. Além disso, ele defende que conceitos como resistência e transferência teriam mais uma função retórica na construção desse conjunto de explicações não verificadas do que realmente qualquer valor clínico ou epistemológico.

Tratando-se de um livro de 1984, poderíamos considerar que mudanças no campo da filosofia da ciência teriam influenciado o autor a mudar suas considerações. No entanto, um texto de 2002 – e republicado em 2015 – indica que as bases de sua crítica continuam as mesmas. Vejamos em detalhes o posicionamento do autor.

De modo geral, vê-se que a construção de seu argumento tem como limite algo que ele considera essencial à psicanálise: a sua concepção de inconsciente. Como veremos, os pontos por ele criticados levam a indicação de que a própria noção freudiana de inconsciente seria infundada, algo de que ele dá pistas logo no início do texto:

> *Preparando minha avaliação crítica do empreendimento psicanalítico, deixe-me enfatizar a existência de diferenças cruciais entre os processos inconscientes hipotetizados pela psicologia cognitiva atual, por um lado, e os conteúdos inconscientes da mente reivindicados pela psicologia psicanalítica, por outro (Eagle, 1987). Essas diferenças mostrarão que a existência do inconsciente cognitivo claramente falha em sustentar, ou até pode colocar em dúvida, a existência do inconsciente psicanalítico de Freud. Seu assim chamado inconsciente*

"dinâmico" é o suposto depósito de desejos proibidos repri-
midos de natureza sexual ou agressiva, cuja reentrada
ou entrada inicial na consciência é prevenida por opera-
ções defensivas do eu. Embora socialmente inaceitáveis,
esses desejos instituais são tão imperativos e peremptó-
rios que procuram incansavelmente uma gratificação
imediata, independentemente das limitações da reali-
dade externa. (Grünbaum, 2015, p. 5, tradução nossa)

Nessa passagem, já é possível reconhecer os pontos que serão alvos das principais críticas do autor. Se ele chega a refutar levemente algumas defesas fracas do pensamento psicanalítico, que remeteriam à presença da psicanálise na cultura como um sinal de sua validade conceitual, rapidamente ele se concentra em uma crítica epistemológica mais sólida, que incide naquilo que ele considera como as pedras angulares do pensamento freudiano, dividido em três ideias fundamentais: primeiramente, que estados de angústia ativam o mecanismo da repressão,[19] que consiste na expulsão de estados psíquicos desprazerosos; em segundo lugar, a repressão não somente expulsa esses conteúdos, mas também realiza um papel causal na produção de conflitos neuróticos patogênicos, na produção de sonhos e de outras formações inconscientes; e, por último, a associação livre pode identificar e levantar as repressões, tendo assim tanto um efeito investigativo como terapêutico.

Frente a isso, Grünbaum apresenta suas primeiras críticas. Ele aponta que não seria possível estabelecer, rigorosamente, a incidência da repressão. Segundo ele, não são todas as experiências ruins que seriam reprimidas, dado que as pessoas se lembram com

---

19 Manteremos, a partir daqui, o emprego do termo *repressão* por sua proximidade com a tradução do inglês, já que estamos dialogando com textos escritos nesta língua.

136 A VALIDAÇÃO EXPERIMENTAL

clareza de eventos traumáticos. Mais que isso, não pareceria possível estabelecer uma explicação com bases estatísticas para determinar qual a incidência e as particularidades dos tipos de eventos que seriam reprimidos. Esse argumento pode parecer um tanto ingênuo, mas serve como preparação para o núcleo da crítica do autor, que questiona a validade dos fatos encontrados na clínica para a formulação de uma teoria, assim como para a validação da própria clínica. Segundo ele, como dito em 1984, no estado atual da literatura psicanalítica, não seria possível indicar que o tratamento psicanalítico teria efeitos mais significativos que o efeito placebo: para tanto, seria necessário um estudo com um grupo-controle, que não teria suas repressões levantadas, de modo a estabelecer se os sintomas não se modificariam sozinhos em taxa igual àqueles submetidos a um tratamento.

E é justamente nesse ponto que ele indica o maior risco da teoria analítica – ao formular hipóteses que poderiam ser consideradas absolutamente circulares, por não serem correlacionas a nenhum tipo de referencial externo. Segundo o autor, essa possibilidade se basearia na "falácia de pseudoconfirmações hipotético-dedutivas toscas", na qual certo encadeamento lógico seria possível sem, no entanto, apresentar nenhum tipo de ligação causal com o fenômeno real. Como uma ilustração caricatural, o autor fala sobre o uso de contraceptivos para impedir a gravidez de homens: os resultados são, de fato, verdadeiros, mas não a causalidade. Em relação à psicanálise, ele diz que esse movimento seria extremamente comum:

> *Confirmacionismo hipotético-dedutivo tosco é um paraíso para inferências causais falsas, como ilustrado pela instável inferência etiológica de Breuer e Freud. Assim, narrativas psicanalíticas são repletas de crenças de que um roteiro etiológico hipotético incorporado em uma narrativa psicanalítica das aflições de um analisando é feito crível somente porque a etiologia postulada permite,*

*então, a explicação dos sintomas neuróticos por dedução
lógica ou inferência probabilística. (Grünbaum, 2015,
p. 19, tradução nossa)*

E é justamente sobre esse argumento que Grünbaum irá indicar a instabilidade dos três pontos apresentados por ele, partindo de um exame da inconsistência empírica dos efeitos da associação livre, que não teriam uma explicação suficientemente sólida. Como diz o autor:

*Mas mesmo que ainda tenha havido algum ganho tera-
pêutico transitório (relacionado à associação livre como
modificando as repressões dos pacientes), vemos que
Freud falhou em descartar uma hipótese rival que debi-
lita sua atribuição de tais ganhos ao levantamento das
repressões por livre associação: a hipótese ameaçadora
do efeito placebo, que afirma que outros fatores do tratamento que não o* insight *nas repressões do paciente – como
a mobilização da esperança do paciente pelo terapeuta
– são responsáveis por qualquer melhora resultante.
Outros analistas tampouco descartaram a hipótese do
placebo no último século. (Grünbaum, 2015, p. 20, tradução nossa)*

Nessas bases, o autor irá sustentar sua crítica, dirigida não somente à associação livre, mas a todos os conceitos que, segundo ele, seriam epistemologicamente dependentes de argumentos clínicos sobre os quais não se produziu nenhuma base independente que seja suficiente para fugir à possibilidade de um pensamento circular. Nessa conta, entrariam a transferência, a interpretação dos sonhos, a consideração de um traço comum entre sonhos, lapsos e chistes (enquanto formações inconscientes), além daquilo que ele indica

138 A VALIDAÇÃO EXPERIMENTAL

como uma "tentativa de reconstrução hermenêutica da psicanálise", tendo como base Ricœur – a quem Grünbaum atribui um aprofundamento desse movimento de fechamento de um discurso em si mesmo, sem tentativas de estabelecimento de pontos de validação exteriores. O resultado disso é apontado como desastroso:

> *Ainda assim alguma versão de uma reconstrução hermenêutica do empreendimento psicanalítico foi abraçada espontaneamente por um número considerável de psicanalistas, e não menos do que por professores em departamentos de humanidades das universidades. Seus aderentes psicanalíticos veem isso como uma absolvição para suas teorias e terapias frente aos critérios de validação obrigatórios para hipóteses causais nas ciências empíricas, embora a psicanálise seja repleta de tais hipóteses. Essa forma de escapar à prestação de contas é também um mau agouro para o futuro da psicanálise, porque os métodos dos hermeneutas não geraram nenhuma hipótese nova importante. Ao invés disso, sua reconstrução é um grito de batalha ideológico negativista, cuja recusa das aspirações científicas de Freud pressagia a morte de seu legado por absoluta esterilidade, ao menos entre aqueles que demandam a validação de teorias por evidências convincentes. (Grünbaum, 2015, p. 32, tradução nossa)*

Segundo o autor, esse fechamento a validações exteriores perpetua a psicanálise numa posição heurística, na qual não é demandada uma correção metodológica ou epistemológica, pois, no limite, sua aceitação ou rejeição responderia somente a uma "questão de gosto". Assim, a validação extraclínica seria a única possibilidade de mudança de posição.

Antes de prosseguirmos, é importante fazer algumas ressalvas. Não estamos, aqui, inteiramente de acordo com a argumentação de Grünbaum, que nos parece falha em diversos momentos. De fato, o autor realiza uma leitura bastante particular de Freud, sujeita a muitas contestações.[20] Por outro lado, a indicação da importância de validações extraclínicas nos parece bastante interessante, mesmo sendo algo que, muitas vezes, é visto de modo ambivalente por psicanalistas. Como afirma Mezan,

> *Eis aí, a meu ver, a raiz do interesse dos analistas pelas modalidades extraclínicas de pesquisa – para as quais infelizmente estamos muito mal preparados por nossa formação profissional e por nosso modo de pensar. De onde o mal-estar de que falei atrás, e o surgimento de uma literatura que, aberta ou veladamente, veste a carapuça que Grünbaum nos oferece. Por outro lado, bater no peito e urrar à moda de Tarzan que o método clínico é bom, ou dar de ombros dizendo que ele não fez análise e portanto não experimentou os benefícios do método que ataca, tampouco leva a grandes resultados: o nervo do argumento do filósofo permanece intocado, e nós paralisados frente ao desafio que ele nos lança. (Mezan, 2006, p. 236)*

Para isso, entretanto, é necessário também questionar o que está sendo considerado enquanto extraclínico. Afinal, Grünbaum limita-se a textos puramente clínicos de Freud em seus desenvolvimentos.

---

20 Uma belíssima resposta a Grünbaum, construída minunciosamente, foi feita por Linda A. W. Brakel, em seu texto *Critique of Grünbaum's "Critique of psychoanalysis"* (2015). Os dois textos estão presentes no mesmo livro, do qual Brakel é uma das organizadoras.

140 A VALIDAÇÃO EXPERIMENTAL

Como vimos com Iannini (2012), autores como Freud e Lacan fizeram diversos movimentos de validação com pontos externos à psicanálise, seja em análises de fenômenos culturais – como arte e literatura, ou mesmo discutindo mecanismos de organização social –, seja com recursos à antropologia, à linguística, entre outros.

Nesse sentido, é chocante a recusa do autor em estabelecer um diálogo com o pensamento lacaniano, sob o argumento de que "lacanianos vêm manifestadamente abandonando a necessidade de validar suas doutrinas por cânones familiares da evidência, para não mencionar a obscuridade irresponsável e intencional de Lacan e sua notória crueldade com pacientes (Green, 2007)" (Grünbaum, 2015, p. 33, tradução nossa). Esse comentário é, ele mesmo, irresponsável, mas talvez indique algo sobre o que está sendo considerado como extraclínico: encontramos isso na centralidade da palavra *evidência*. Grünbaum limita-se a falar de evidências empíricas, sem propor uma definição mais aprofundada. Mas podemos encontrar em outro texto sobre psicanálise e ciência, escrito por Edward Erwin, uma discussão interessante sobre o assunto.

Segundo o autor (Erwin, 2015), o valor de uma teoria, sua capacidade explicativa, sempre é estabelecida em relação a alguma definição de verdade. Uma teoria só explica algo se for verdadeira, ou se ao menos contiver um alto grau de verdade. Para não entrar em discussões sobre a concepção de verdade, o autor utiliza um esquema lógico, definido por Alfred Tarski, que postula que, por exemplo, a proposição "a neve é branca" é verdadeira "se, e somente se, a neve for branca". Nesse sentido, a questão da validade de uma proposição é então deslocada para a existência de evidências: uma proposição é verdadeira caso haja evidências de que ela, e não outra, é verdadeira.

> *Para determinar a verdade, nós claramente precisamos de evidências. No caso de Freud, o status de evidências a favor e contra suas teorias e reivindicações*

terapêuticas tem sido disputado há muito tempo. Algumas dessas disputas são principalmente empíricas e não precisam levantar nenhuma questão filosófica importante. Outras discordâncias levantam questões fundamentais. As evidências obtidas pela observação de pacientes na psicanálise podem suportar a teoria freudiana, ou mesmo qualquer tipo de teoria psicanalítica? Freud achava que sim, mas outros o desafiaram em relação a isso (Grünbaum, 1984). Outra questão é ainda mais fundamental: o que conta como evidência para qualquer teoria psicológica ou mesmo para qualquer tipo de teoria? (Erwin, 2015, p. 38, tradução nossa)

O autor propõe uma divisão, entre *evidência em si* (ou evidência básica) e *evidência derivada*. A evidência em si é aquela que sustenta, por ela mesma, uma hipótese. Toda evidência que não é uma evidência em si é uma evidência derivada. No limite, a evidência em si responderia a uma espécie de acordo, no qual certos tipos de evidências se aproximariam mais do fato em si:

Os melhores candidatos a evidência em si são, é claro, evidências observacionais. Ninguém desafia isso, exceto alguém que negue que qualquer tipo de evidência é evidência em si. Eu não vou discutir essa posição aqui porque acredito que ela leva a um ceticismo completo sobre evidências, uma posição não atrativa para qualquer pessoa tentando fornecer suporte evidencial para a teoria psicanalítica. (Erwin, 2015, p. 40, tradução nossa)

De fato, criticar a existência de evidências em si nos parece absolutamente plausível, além de bastante coerente com diversos desenvolvimentos psicanalíticos. Entretanto, deixaremos essa questão em suspenso por ora, pois nosso objetivo agora é pensar na compatibilidade do pensamento psicanalítico com esse modelo específico de validação. Deixaremos as críticas ao modelo para um momento posterior, apostando, como indicado na Introdução, que essa crítica pode ser realizada com maior potência se conseguirmos estabelecer pontos de diálogo, ainda que nos termos aparentemente mais desfavoráveis. Desse modo, o texto de Erwin é interessante, pois ele trabalha com a ideia de uma evidência que demonstraria sua pertinência empiricamente, mas também se questiona se haveria algum outro tipo de evidência que também poderia ser considerada básica: "Assumindo que evidência empírica às vezes conta como evidência básica, o que mais conta?" (Erwin, 2015, p. 40, tradução nossa).

Primeiramente, o autor leva em consideração o valor da consistência das hipóteses. Ele parte da ideia de que poder explanatório, simplicidade e parcimônia seriam fatores a serem considerados enquanto evidência, visto que eles aumentariam a probabilidade de que a hipótese seja verdadeira. Essa ideia surge a partir da consideração de que o poder explanatório pode servir enquanto modelo de diferenciação entre hipóteses concorrentes, indicando qual seria a mais adequada.

Entretanto, mesmo que esses três fatores possam ser importantes na escolha entre hipóteses concorrentes, o autor defende que eles não são decisivos: uma hipótese com menor poder explanatório, menos simples e menos parcimoniosa pode ser escolhida, caso se adeque mais ao fenômeno observado. Desse modo, voltamos a um registro empírico, a partir do qual se pode comprovar essa adequação. Os três fatores apontados poderiam ser, portanto, evidências derivadas, mas não evidências em si.

A conclusão é a mesma na consideração de outro modo de apreciação de hipóteses, chamado *inferência para a melhor explicação*.

Esse modo de apreciação parte do pressuposto de que a hipótese que melhor explique um evento deve ser considerada provavelmente verdadeira, justamente por apresentar a melhor explicação. Essa estratégia seria utilizada na filosofia da ciência principalmente para explicar fatos não observáveis e lhes dar confirmação empírica, mas também é utilizada em outras disciplinas, como a metafísica, a ética e a psicanálise:

> *A regra da IBE (inferência para a melhor explicação) tem sido amplamente utilizada na filosofia da ciência, especialmente para defender a reivindicação do realismo científico de que hipóteses que fazem referência a eventos não observáveis como desejos inconscientes ou buracos negros podem ser empiricamente confirmadas. Isso também é amplamente usado em metafísica, epistemologia e ética. Quando psicanalistas confiam em IBE, eles não necessariamente anunciam esse fato, mas frequentemente confiam nisso implicitamente. Um analista, no curso de um tratamento de três anos pode propor tentativas de explicações para as origens do problema do cliente, mas em algum ponto pode defender uma interpretação final, arguindo que, comparado a seus rivais, esse último oferece a melhor explicação de todos para os fatos clínicos relevantes. (Erwin, 2015, p. 44, tradução nossa)*

Entretanto, essa regra também não parece satisfazer como evidência. O fato de ser a melhor explicação não significa que a hipótese seja verdadeira, mas somente que ela seja a melhor hipótese. Em outras palavras, todas as hipóteses concorrentes podem ser falsas, o que não impede que uma seja a melhor dentre elas – contudo, isso não a faz verdadeira. Desse modo, Erwin insiste no fato de que,

144 A VALIDAÇÃO EXPERIMENTAL

mesmo que seja a melhor explicação, isso não constitui uma evidência em si – uma vez que o caráter de verdade não será determinado pela concorrência de hipóteses, mas, sim, por outras evidências (em sua maioria, empíricas) que liguem a hipótese ao evento. Continuamos, portanto, tendo o empirismo como base de apoio.

Outra possibilidade descartada pelo autor é a de que relações hermenêuticas poderiam ser consideradas como evidência. Segundo Erwin, por mais que em alguns casos possa se estabelecer que relações de significado possuem correlações com algum tipo de causalidade, seria um erro inferir que as relações de significado poderiam ser tratadas enquanto evidências. Isso poderia acontecer em alguns casos, mas sempre de modo subordinado a evidências empíricas que demonstrem uma maior probabilidade nesse sentido.

Finalmente, o autor apresenta uma discussão extremamente cara ao pensamento psicanalítico, que diz respeito ao valor de relatos de caso enquanto evidência. Essa discussão parte de uma força-tarefa da Associação Americana de Psicologia (APA), que indicou que, junto com evidências empíricas, a opinião clínica e o consenso de especialistas também devem ser considerados evidências básicas – fato que, evidentemente, Erwin questiona.

Segundo ele, essa questão seria simples se pudéssemos ter evidências empíricas de que os relatos são provavelmente corretos, de modo que, então, eles seriam também evidências. Entretanto, isso não é assim tão simples: por um lado, porque a própria definição de "especialista" não é suficientemente estável; por outro, porque o que é um relato não é fácil de ser definido.

Primeiramente, em relação à consideração de profissionais como especialistas, o autor argumenta que, mesmo que estejamos de acordo com aquilo que a associação define como características necessárias para essa consideração (capacidade de reconhecer padrões centrais, organização do conhecimento, expertise científica etc.), ainda assim haveria uma lacuna lógica entre o relato clínico de um especialista e o fato de esse relato ser verdadeiro. Como resume o autor:

> *Brevemente, se estipulamos que o que queremos dizer por "especialista clínico" é alguém que tem características que torna provável que seus julgamentos clínicos tenham suporte evidencial, nós precisaríamos de evidências empíricas de que, para qualquer terapeuta que acreditamos ser um especialista, ele ou ela tenha as características necessárias; e nós também precisaríamos de evidências empíricas de que ter essas características indique a probabilidade de verdade. Ao nos apoiarmos nessa definição, estamos assim transformando evidências baseadas em opiniões de especialistas clínicos em, na melhor das hipóteses, evidências derivadas. (Erwin, 2015, p. 54, tradução nossa)*

Vemos, então, que o predicado "especialista clínico" só pode funcionar como evidência derivada. Mas qual seria o estatuto do relato? Nada diferente. O autor aponta que, embora os relatos possam ser verdadeiros (no sentido de corresponderem à realidade), eles somente o são à medida que não são provados errados, pois não apresentam nenhuma garantia *a priori* de sua correção. Isso não impede, contudo, que consideremos que certos relatos – ou, então, que relatos de determinadas pessoas – sejam corretos: isso acontece, mas o que Erwin argumenta é que esse valor é sempre derivado, pois só consideramos um relato como verdadeiro a partir de outras experiências nas quais pudemos recolher evidências – e que incidem, de algum modo, na confiança que temos (ou não) no relato.

Desse modo, mesmo que um relato sirva de evidência, o seu valor enquanto tal sempre depende de antecedentes que, de alguma

146 A VALIDAÇÃO EXPERIMENTAL

maneira, atestem a sua probabilidade de verdade – algo que ele não pode demonstrar por si mesmo. Nesse ponto, Erwin volta ao argumento de Grünbaum sobre o efeito placebo, defendendo que um psicanalista não pode inferir que um paciente melhora por causa do tratamento se ele não consegue descartar o efeito placebo ou hipóteses concorrentes. Nem o fato de ser considerado um especialista clínico, nem o relato, nem a consistência das hipóteses teriam a capacidade de descartar essas outras hipóteses sem uma evidência em si, ou mesmo de evidências derivadas que tenham clara relação com evidências em si. E assim o autor finaliza:

> *Conclusão: eu não tentei mostrar que evidência empírica é a única forma de evidência básica. Intuição, por exemplo, quando usada em lógica ou matemática, também se qualifica enquanto tal. O que argumentei é que certos tipos propostos de formas de evidência em si que tiveram um importante papel nas discussões de evidências psicanalíticas, especialmente em tentativas de satisfazer a demandas de evidência experimental (Erwin, 1996, 2006; Grünbaum, 1984), não são básicas. A evidência que se consegue ao utilizar IME (inferência para a melhor resposta) não é evidência em si; ou, de outro modo, a regra é simplesmente inválida. Fatores pragmáticos, como simplicidade, podem algumas vezes ser o diferencial quando a evidência empírica é neutra entre duas teorias, mas é somente porque os antecedentes de evidências empíricas fazem ser mais provável que, em certo campo, o mais simples seja mais provável de ser verdadeiro. Conexões de significado nunca são evidência em si, mas, é claro, podem contar como evidência derivada se existir um suporte empírico. E o mesmo é verdade para relatos de especialistas. (Erwin, 2015, p. 58, tradução nossa)*

Vemos, assim, que as críticas de Grünbaum e de Erwin respondem, no limite, a uma concepção bastante delimitada de evidência. A validação extraclínica estaria, portanto, subordinada a uma concepção em que as únicas formas de produção de evidência parecem responder a um horizonte empírico, no qual não basta que uma ideia se mostre mais interessante que outra, mas que seja possível reconhecer uma correlação imediata e indubitável com a realidade. Seria isso possível para a psicanálise?

Psicanálise e neurociências

Não se trata de uma questão nova, e a dificuldade de se estabelecer um modo de validação viável e satisfatório parece atravessar algumas gerações. Se podemos reconhecer, como indicado no Capítulo 1, movimentos de aproximação de ciências como a linguística e a antropologia, isso não parece ser suficiente – ao menos para alguns modos de hierarquização epistemológica, como acabamos de ver. Assim, a pergunta por validações empíricas em moldes experimentais persiste e parece dividir os psicanalistas.

Em geral, pode-se notar que alguns avanços têm sido realizados no campo das neurociências, a partir de um cruzamento entre a teoria psicanalítica e novas possibilidades de estudos neurocientíficos recentes. Entretanto, essa associação de diferentes disciplinas não se mostra sempre harmoniosa, podendo se reconhecer certas disputas por hegemonia. Como aponta Winograd (2004), um primeiro momento do desenvolvimento das neurociências teria sido marcado pela rejeição de teorias "não científicas" (como a psicanálise), num movimento de deslegitimação de qualquer explicação que não se baseie em hipóteses puramente biológicas. É o que motiva, por exemplo, posicionamentos como os de Faveret:

148   A VALIDAÇÃO EXPERIMENTAL

> *Se o terreno em que se move a neurociência é o do objetivismo, fica difícil pensar a possibilidade de sua articulação com a psicanálise. O próprio Freud já alertara muito claramente que os psicanalistas, em sua prática clínica, deveriam empregar a moeda corrente do país que estão explorando, isto é, a moeda da realidade psíquica, das fantasias inconscientes, e não a moeda da realidade externa. (Faveret, 2006, p. 23)*

Esse tipo de recusa realmente pode ser aplicado a uma parte dos estudos em neurociências, que acabam simplesmente por defender a subordinação de alguns conceitos psicanalíticos a localizações e mecanismos cerebrais, indicando uma superioridade das explicações biológicas. Como indica Carvalho (2011), esse tipo de assimilação só faria aprofundar um movimento de silenciamento do sujeito, que passa a ser visto como pura consequência de processos orgânicos e, portanto, preso em uma lógica capitalista de consumo de terapias e *gadgets* científicos.

Entretanto, deve-se ter cuidado para não cair em uma espécie de maniqueísmo epistemológico (ou metodológico), recusando a possibilidade de que contribuições interessantes possam ser produzidas nesse campo. Como aponta Monah Winograd, também haveria uma recusa por parte dos psicanalistas em estabelecer um diálogo, o que não traz nenhum benefício para o pensamento psicanalítico. Segundo a autora,

> *Parece urgente uma pesquisa que, com criatividade e abertura crítica e séria, possa investigar tanto o novo campo formado quanto os efeitos deste movimento internamente à psicanálise. Nem a psicanálise pode mais manter sua "belle indifférence" relativamente à neurociência, nem esta*

pode mais seguir afirmando que a psicanálise deve ser descartada por ser uma teoria ficcional, fruto da imaginação fértil de um positivista excêntrico que abandonou a via tradicional da experimentação confiável cientificamente. (Winograd, 2004, p. 22)

Nesse sentido, Winograd indica alguns estudos que trabalhariam essa possibilidade de articulação com sucesso, defendendo, assim, a proficuidade desse encontro. Tratam-se de estudos sobre mecanismos envolvidos na constituição da memória, ou mesmo considerações sobre conteúdos que não são facilmente relembrados, embora possa se reconhecer que estejam inscritos mnemonicamente. Além disso, outros estudos mais aprofundados também têm sido feitos:

Igualmente, hoje em dia, já se acumulam estudos que pretendem oferecer sustento experimental para a hipótese freudiana do recalque. Um dos mais recentes foi anunciado na mídia como tendo revelado um mecanismo neurológico de bloqueio da memória. Em janeiro de 2004, em Washington, cientistas americanos identificaram em imagens de ressonância magnética o mecanismo biológico por meio do qual as pessoas esquecem ativamente lembranças indesejáveis (GABRIELI et al., 2004). O estudo destes cientistas da Universidade de Stanford (Califórnia) e da Universidade de Oregon pretendeu explicar casos de bloqueio de memória especialmente nas situações de abusos sexuais sofridos por crianças que não lembram deles quando se tornam adultas. Sua existência foi percebida por meio da utilização de imagens cerebrais que mostravam os sistemas neurológicos participantes deste bloqueio. (Winograd, 2004, p. 25)

150 A VALIDAÇÃO EXPERIMENTAL

Estudos como esse têm sido cada vez mais frequentes e a articulação da psicanálise com as neurociências tem se mostrado um caminho interessante, tanto de validação de conceitos psicanalíticos como de descoberta de fenômenos a serem estudados. Um bom exemplo é o livro *Comment les neurosciences démontrent la psychanalyse* (*Como as neurociências demonstram a psicanálise*, 2004), de Gérard Pommier. Nesta obra, o psicanalista francês faz um uso extensivo de estudos neurológicos sobre diversos assuntos, demonstrando sua compatibilidade com desenvolvimentos psicanalíticos.

Entretanto, um detalhe deve ser observado: embora uma série de correlações possa ser estabelecida – possa, inclusive, indicar até a localização cerebral onde ocorreriam certos processos também descritos na psicanálise – é importante notar que o simples reconhecimento de mecanismos não necessariamente demonstra correlações satisfatórias com a teoria psicanalítica. É exatamente essa crítica que o início da argumentação de Grünbaum tenta estabelecer: que, embora certos aspectos observados possam ser articulados com conceitos psicanalíticos, eles também podem ser articulados com outras estruturas explicativas, de modo que deve ser possível indicar traços mais aprofundados que apontem para diferenças cruciais entre o modo como certos fenômenos são entendidos pela psicanálise e por disciplinas que se mostram até mesmo contraditórias a ela.

É nesse sentido que a diferenciação entre o inconsciente freudiano e o inconsciente cognitivo mostra-se central para Grünbaum, pois somente indicar a existência de conteúdos inconscientes não atesta a validade do inconsciente dinâmico proposto na psicanálise. Assim, estudos que simplesmente indicam a localização de fenômenos, ou mesmo a existência de processos – sem, contudo, possibilitar inferências causais –, não estabeleceriam uma articulação sólida com a psicanálise. Daí a importância de se trabalhar a repressão, mecanismo que estaria ligado à possibilidade de sustentação de uma noção de inconsciente que não seria somente aquilo que não é consciente.

Levando isso em consideração, optamos por aprofundar a discussão a partir de um experimento que toca diretamente nesse ponto, inclusive sendo mote de um debate entre Grünbaum e seu pesquisador sênior.

Shevrin e seus experimentos

Em 2013, Howard Shevrin e mais cinco pesquisadores publicaram os resultados de um experimento sobre a existência daquilo que Freud chamou de resistência na clínica psicanalítica, em um artigo intitulado "Subliminal unconscious conflict alpha power inhibits supraliminal conscious symptom experience" ("Potência alfa de conflito inconsciente subliminar inibe experiência supraliminar de sintoma consciente", Shevrin et al., 2013). O próprio título do artigo é um resumo do que foi obtido enquanto resultado: experiências de sintomas conscientes foram inibidas por ondas de potências alfas ligadas a conflitos inconscientes subliminares. Vejamos com calma do que se trata.

Os autores iniciam seu artigo afirmando que é curioso o fato de que a psicanálise, em um momento em que parece estar perdendo terreno, tem, entretanto, chamado atenção de muitos neurocientistas, por disponibilizar interessantes amparos para descobertas nesse campo. Como afirmado:

> A investigação neurocientífica dos correlatos neurológicos de processos inconscientes é muitas vezes limitada por padrões automáticos, ignorando a importância de conflitos inconscientes, o papel da significação pessoal e processos inconscientes únicos, como a repressão. Em

152 A VALIDAÇÃO EXPERIMENTAL

> *contraste, nós apresentamos o inconsciente que é sujeito à significação individual (contido nos conflitos inconscientes únicos a cada indivíduo), é composto de complexos processos emocionais inconscientes, como a repressão, e tem um papel causal na manifestação de sintomas como fobia social. Ademais, mostramos como esses processos são encontrados em eventos cerebrais identificáveis. (Shevrin et al., 2013, p. 1, tradução nossa)*

Segundo os autores, *conflitos inconscientes* e *repressão* são dois conceitos clínicos bastante controversos: a somatória dos dois seria responsável pela explicação de uma vasta gama de sintomas psiquiátricos, sendo, portanto, parte central na decisão de seus tratamentos.

> *Presume-se que um conflito inconsciente emerge de desejos conflitantes, trabalhando amplamente de modo inconsciente e sujeito a esforços inconscientes de inibição e repressão do conflito que pode criar grande ansiedade. (Shevrin et al., 2013, p. 1, tradução nossa)*

Desse modo, os conflitos inconscientes seriam parte importante na definição dos modos como as pessoas respondem às questões mais variadas.

Entretanto, essa teoria seria considerada um desenvolvimento "clássico", que teria sido ultrapassado por construções melhores. Porém, todas essas teorias sofreriam de uma falha fatal: nenhuma delas teria conseguido o suporte empírico para serem consideradas como uma teoria científica estabelecida, de modo que a escolha por uma ou por outra seria, no limite, uma questão de preferência, sem evidências defensáveis.[21] A escolha pela teoria do conflito se

---

21 Embora se trate de uma concepção bastante específica de ciência (como vimos anteriormente), não entraremos nessa discussão agora. Ao contrário, esse experimento nos parece interessante por localizar-se justamente num ponto em que geralmente se recusa qualquer tipo de possibilidade de relação com a psicanálise.

deu por ser, historicamente, a primeira, e porque durou um tempo considerável. Sobre o tipo de experimento escolhido, os autores reforçam o debate que já vinha acontecendo há anos:

> *Sem dúvida um dos críticos mais mordazes de Freud, Grünbaum (1984), apontou que a sustentação empírica deve vir de métodos que podem ser provados independentes do método clínico, senão a circularidade é um perigo sempre presente. Em resposta a esses desafios, nós adaptamos nosso método de pesquisa para encontrar evidências independentes para a validade dos construtos da repressão e do conflito inconsciente. (Shevrin et al., 2013, p. 2, tradução nossa)*

Além disso, o estudo também leva em consideração outras vertentes de investigação, que têm como método justamente o entrecruzamento da psicanálise com ciências cognitivas e neurociências. Nesse campo, é notória a trajetória de Shevrin, que já realizou importantes estudos no cruzamento da psicanálise com as ciências cognitivas, sobre a identificação de possíveis marcadores de eventos relacionados a processos inconscientes subliminares (Shevrin & Fritzler, 1968), sobre inibição inconsciente (Snodgrass, Shevrin, & Kopka, 1993a, 1993b), assim como sobre diferenças no pensamento relacionadas à teoria freudiana dos processos primários e secundários – Shevrin e Luborsky (1961), Brakel, Kleinsorge, Snodgrass e Shevrin (2000). No entanto, segundo os autores, eles tinham em comum um déficit de material clínico para o reconhecimento dos processos inconscientes, fato que foi corrigido no presente estudo a partir de entrevistas realizadas por psicanalistas com os sujeitos do experimento.

Além disso, deve-se notar que o estudo em questão foi idealizado a partir de outros estudos anteriores. Em um estudo publicado

154 A VALIDAÇÃO EXPERIMENTAL

há mais de duas décadas (Shevrin et al., 1992), tinha-se o objetivo de produzir evidências objetivas da existência de conflitos inconscientes, além de estabelecer uma causa repressiva entre conflito inconsciente e experiência consciente do sintoma. O estudo foi realizado com pacientes diagnosticados com fobia (segundo o DSM-IV-TR), que foram entrevistados por quatro clínicos. Para cada paciente, três grupos de palavras foram constituídos, sendo um com palavras relacionadas a conflitos inconscientes, outro com palavras ligadas à experiência consciente de sintomas, e um grupo-controle. Todas as palavras foram apresentadas sub e supraliminarmente e, frente a esses eventos, as ondas cerebrais foram analisadas por sua duração, frequência e potência. Como resultados, notou-se que as respostas cerebrais eram mais significativas quando as palavras relacionadas a conflitos inconscientes eram apresentadas subliminarmente, em comparação ao grupo de controle e ao grupo de experiências conscientes de sintomas. Por outro lado, quando apresentadas supraliminarmente, foi o grupo de experiências conscientes de sintomas que mostrou resultados significativos, enquanto os outros dois, não.

Além desses resultados, os autores também tentaram estabelecer uma relação causal ligada à presença da repressão desencadeada pelos estímulos. Pôde-se perceber um indicativo de que existiria uma repressão inibitória em relação aos conflitos inconscientes, visto que eles não causavam o mesmo efeito quando apresentados supraliminarmente – porém, pouco se pôde avançar sobre esta ideia. Como apontam os autores:

> As evidências encontradas no primeiro estudo com fóbicos sociais estabeleceram a existência de conflitos inconscientes na base de métodos clínicos e de métodos não clínicos independentes. Mostrou-se claro que estímulos de conflitos inconscientes formaram categorias únicas e

> *individualmente significantes. Contudo, o que não ficou claro é como esses estímulos agem enquanto causas da experiência consciente de sintoma. (Shevrin et al., 2013, p. 3, tradução nossa)*

É interessante notar que o reconhecimento da impossibilidade de se inferir uma relação causal entre os conflitos inconscientes e as experiências conscientes de sintoma teria sido fruto de um debate entre Shevrin e Grünbaum (Brakel, 2015). Aparentemente, uma troca de cartas entre os dois autores teria se estabelecido, na qual Grünbaum teria apontado essa inconsistência no experimento, com o que Shevrin haveria concordado após alguns embates.

Diante desses resultados, os pesquisadores dirigiram seu foco para a investigação da relação entre conflitos inconscientes e experiências de sintoma consciente. Houve uma mudança na mensuração, pois deixaram de utilizar as respostas cerebrais de duração, frequência e potência e começaram a usar medidas de potência de atividade cerebral alfa (chamadas de *potência alfa*), pois haveria evidências validadas que indicavam que potência alfa seria um mecanismo de inibição.

Em relação ao objeto de pesquisa, a ideia era de que a potência alfa "fornece a função inibitória necessária à repressão, enquanto a motivação para a inibição derivaria do conflito inconsciente da pessoa" (Shevrin et al., 2013, p. 3, tradução nossa). Desse modo, eles realizaram um estudo com pessoas com fobia de aranhas, no intuito de traçar uma correlação entre a função inibitória desse tipo de atividade cerebral e defesas causadas pela fobia (Shevrin et al., 2010). De fato, os resultados demonstraram que as atividades de potência alfa se mostraram ligadas a inibições seletivas, relacionadas a modos específicos de presença da fobia:

Nesse sentido, a função cognitiva particular era inibição associada com potência alfa, e o motivo era de evitar ou minimizar medo ou ansiedade em relação a aranhas. Esses fortes indicativos de que potência alfa pode servir como o mecanismo cerebral inibitório ligado à repressão nos levou a focar no papel da potência alfa no novo estudo. (Shevrin et al., 2013, p. 4, tradução nossa)

Para realizar o estudo que temos como objeto aqui, os autores partiram da presença de mecanismos de evitação nos transtornos de ansiedade e da sua relação com conflitos inconscientes e repressão. A partir dos achados dos dois estudos anteriores, o objetivo era estabelecer uma relação entre as evidências de existência de conflitos inconscientes e a inibição causada por estímulos subliminares:

De um ponto de vista psicanalítico, a importante peça que faltava no estudo da fobia de aranhas era o conflito inconsciente subjacente criando a motivação necessária para a inibição ou repressão dos estímulos de aranha. Estava claro que agora nós precisávamos mostrar que a potência alfa servia como o link neuronal causal entre conflito inconsciente e experiência consciente do sintoma baseada clinicamente. (Shevrin et al., 2013, p. 4, tradução nossa)

Desse modo, o estudo deveria estabelecer evidências para quatro pontos: (1) inferir, a partir da clínica, que um conflito causa um distúrbio neurótico específico; (2) demonstrar que, somente quando ativado subliminarmente, o conflito produz uma resposta inibidora no distúrbio consciente; (3) mostrar que esses estímulos não funcionam desse modo se apresentados supraliminarmente; e (4) mostrar que a inibição não age sobre outros comportamentos que não aquele do distúrbio consciente. Nas exatas palavras dos autores:

> *O conflito inconsciente relevante específico para o distúrbio neurótico tem seu efeito inibidor no distúrbio neurótico somente quando o conflito inconsciente é ativado subliminarmente, e exclusivamente em respeito àquele distúrbio neurótico (p.e. estímulo de um sintoma consciente). Resumindo, a inibição é inconsciente e específica para um distúrbio neurótico particular. (Shevrin et al., 2013, p. 4, tradução nossa)*

Para tanto, o principal evento a ser testado era o encadeamento da apresentação de um estímulo subliminar, referente a um conflito inconsciente, seguido de um estímulo supraliminar, referente à experiência consciente de sintoma. As palavras referentes à experiência consciente "descrevem aspectos da situação social que são mais provocadoras de ansiedade a amedrontadoras para o participante" (Shevrin et al., 2013, p. 4, tradução nossa), assim como sinais ligados à própria ansiedade – mas deve se ter em conta que tais aspectos só são temidos por remeterem a conflitos inconscientes:

> *Esse fato realça um ponto fundamental – que sintomas conscientes (tomados junto com as situações que os disparam) estão relacionados e interconectados com conflitos inconscientes subjacentes. O participante experiencia situações sociais como se elas contivessem um aspecto do conflito inconsciente, embora o participante não perceba que seu conflito inconsciente está influenciando sua experiência consciente. (Shevrin et al., 2013, p. 5, tradução nossa)*

Nesse processo, é central a ideia de que – numa situação em que o conflito inconsciente seja ativado – a ansiedade e a inibição repressora devem partir do conflito inconsciente em direção à experiência consciente, de modo que tentativas de reprimir e inibir o conflito inconsciente deveriam prever tentativas de inibir e reprimir respostas ao estímulo sintomático consciente. Desse modo, esperava-se encontrar uma correlação positiva entre a inibição do conflito inconsciente e a inibição dos subsequentes lembretes de sintoma consciente. Por outro lado, palavras aleatórias não deveriam causar nada nesse sentido.

> *A inovação metodológica original nesse novo estudo foi mostrar que inferências desenhadas de material clínico psicanalítico inteiramente qualitativo podem ser testadas em processos cerebrais objetivamente mensuráveis, de modo que o que é, em última instância, demonstrado é um funcionamento subjacente comum entre psicodinâmica e processos cerebrais. (Shevrin et al., 2013, p. 5, tradução nossa)*

Para tanto, foi escolhido um modelo de *priming*, no qual os estímulos de conflito inconsciente precediam os estímulos de conflito consciente. Desse modo, foi possível ter o controle sobre a influência que esse primeiro momento (*prime*) exercia sobre o segundo (alvo). Na prática, os dez participantes que satisfaziam os critérios do DSM-IV-TR para fobia social passaram por entrevistas diagnósticas, a partir das quais grupos de palavras foram selecionados. Cada participante tinha, então, um grupo de *primes* de conflitos inconscientes e outro de *primes* de sintomas conscientes. Tinham, também, um grupo de alvos de sintomas conscientes e um grupo de palavras-controle. As palavras selecionadas foram apresentadas taquistoscopicamente: os participantes eram instruídos a olhar um ponto fixo no centro de uma tela branca de um taquistoscópio, no qual as palavras eram apresentadas sub e supraliminarmente.

A condição experimental central era a combinação entre *primes* de conflitos inconscientes subliminares seguidos de alvos de sintomas conscientes supraliminares, mas diferentes combinações foram testadas, sendo que os dois tipos de *primes* (de conflitos inconscientes e de sintomas conscientes) foram encadeados com os dois tipos de alvos (conflitos conscientes e palavras-controle). Além disso, todas as combinações foram feitas com variações nas durações (subliminar e supraliminar), de modo que foram realizados 196 testes subliminares e 196 supraliminares. Durante o experimento, os pacientes eram monitorados de forma a se reconhecer variações em suas atividades de potência alfa.

Os resultados de potência alfa ligados aos *primes* de conflitos inconscientes apresentados subliminarmente previram, com sucesso, os resultados de potência alfa ligados a alvos de sintomas conscientes apresentados de modo supraliminar. O mesmo não aconteceu quando esses mesmos *primes* subliminares foram encadeados com palavras-controle, tampouco quando eles foram apresentados supraliminarmente: "Portanto, somente quando *primes* de conflito inconsciente foram subliminares, e somente quando precederam os alvos de sintoma consciente, eles produziram um efeito alfa ampliado" (Shevrin et al., 2013, p. 5, tradução nossa).

Em relação aos *primes* de sintomas conscientes, estes não produziram nenhuma correlação quando apresentados subliminarmente. Quando apresentados supraliminarmente, previram suficientemente os níveis alfa de alvos de sintomas conscientes, assim como de palavras-controle.

Os autores são categóricos em afirmar que os resultados sustentam a hipótese principal sobre os conflitos inconscientes: somente quando os *primes* de conflito inconsciente foram apresentados de

160 A VALIDAÇÃO EXPERIMENTAL

modo subliminar houve uma previsão positiva de potência alfa relacionada a alvos de sintoma consciente. O mesmo não ocorreu quando os *primes* de conflito inconsciente foram supraliminares, quando as palavras ligadas a sintoma consciente foram *primes* subliminares, nem quando as palavras-controle foram os alvos supraliminares. Em outras palavras, os conflitos inconscientes só apresentaram influência na ampliação de atividades de potência alfa quando ativados subliminarmente e seguidos por alvos de sintoma consciente supraliminares. Como colocam os autores, esses resultados são importantes por diversos motivos:

> *Esses fatos fortalecem a interpretação de uma relação de causa e efeito entre conflitos inconscientes e experiências conscientes de sintoma. De particular importância no suporte de nossa hipótese, nós não obtivemos somente alguns resultados únicos e isolados consistentes com essa hipótese. Em vez disso, baseado em uma teoria psicanalítica coerente, inter-relacionada e relevante para nossa hipótese, nós previmos – e obtivemos – um padrão inter-relacionado de resultados, incluindo não somente a especificação de onde deveríamos obter os resultados previstos (p.e. com conflitos inconscientes subliminares e alvos de sintomas conscientes), mas também onde deveríamos não obter resultados (p.e. com palavras controle ou com primes supraliminares de conflitos inconscientes). Notavelmente, obtivemos esse padrão completo, fortalecendo a probabilidade de que esses resultados centrais sejam genuínos – e indo de encontro a recomendações específicas feitas por Grünbaum em relação a testar essa hipótese psicanalítica causal fundamental. (Shevrin et al., 2013, p. 8, tradução nossa)*

No entanto, os autores não deixaram de notar, também, o encontro de resultados não esperados, estes em relação à existência de previsão de potência alfa de *primes* supraliminares de sintomas conscientes, tanto em relação a alvos de sintoma consciente como em relação a alvos de palavras-controle. Esses achados são rapidamente discutidos, indicando aí uma possibilidade de se pensar na inibição que seria produzida pela rememoração de situações sintomáticas, feita de modo consciente. Nesse sentido, seria um caminho para se realizar uma diferenciação entre a inibição com causas inconscientes e a inibição com causas conscientes, o que fica indicado como problema a ser tratado em estudos futuros.

Em relação aos resultados encontrados, os autores reforçam o fato de se poder, a partir disso, sustentar que:

> *A partir desse padrão de convergência de resultados experimentais e de controle, estamos na posição de inferir que somente os estímulos de conflito inconsciente selecionados a priori por psicanalistas a partir de dados clínicos ligam causalmente inferências clínicas baseadas em significação psicológica (conflito inconsciente acerca de desejos emocionalmente incompatíveis) com processos cerebrais (padrões de inibição eletrofisiológica). Se for esse o caso, então, que saibamos, essa é a primeira evidência psicofisiológica da teoria freudiana da psicopatologia do conflito inconsciente. A repressão emerge como uma função desses padrões inibitórios, assim como nos padrões de evitação e escolha. Desse ponto de vista, a repressão não é uma "força" neuronal ou psicológica, mas uma série de decisões inconscientes criando um padrão de interações entre o indivíduo e o mundo. Isso é o que encontramos com o padrão de interações dos* primes

162　A VALIDAÇÃO EXPERIMENTAL

> *de conflito inconsciente no presente estudo, no qual a inibição ocorre subliminarmente, e não supraliminarmente.*
> *(Shevrin et al., 2013, p. 8, tradução nossa)*

Recuperando a discussão estabelecida anteriormente, o que podemos depreender desse estudo? Teria ele fornecido evidências independentes nos moldes de Grünbaum e Erwin?

Aparentemente, as condições indicadas por Erwin foram satisfeitas, uma vez que as evidências produzidas no experimento são evidências empíricas – portanto, evidências básicas. Além disso, também foi possível reconhecer evidências dos limites da teoria, uma vez que foram estabelecidas situações em que resultados diferentes foram encontrados.

Em relação a Grünbaum, tem-se notícias também da troca de cartas subsequente à publicação dos resultados do experimento, em que o crítico de longa data teria concedido uma aceitação, dizendo "estou satisfeito" (Brakel, 2015). Em um processo que durou, então, mais de duas décadas (contando o primeiro experimento de Shevrin, de 1992), atravessado por embates entre um psicanalista e um ferrenho crítico da psicanálise, foi possível estabelecer um consenso em relação à validação de alguns aspectos do pensamento psicanalítico. Porém, o que podemos considerar validado? Ou, em outras palavras: esse experimento teria produzido evidências exatamente do quê?

Imediatamente, pode-se indicar que as evidências mostram que um grupo de palavras, quando apresentado subliminarmente, produz uma alteração nas ondas alfa, mas somente quando encadeado com outro grupo de palavras, apresentado supraliminarmente. Em outras palavras, há evidências de um mecanismo inconsciente agindo de modo inibitório em experiências conscientes, algo compatível com os desenvolvimentos psicanalíticos sobre repressão.

Entretanto, e isso é central, a primeira parte do estudo faz com que seu alcance seja muito maior. O fato de os grupos de palavra terem sido determinados em entrevistas conduzidas por psicanalistas, a partir de premissas da teoria e da clínica psicanalítica, demonstra com clareza a pertinência da psicanálise em relação às evidências encontradas: não se trata somente do reconhecimento de um mecanismo cerebral, mas, sim, da produção de evidências da precisão conceitual e clínica da psicanálise em relação a um mecanismo também encontrado nas neurociências. Mais que isso, o pensamento psicanalítico oferece inferências causais que um experimento neurocientífico sozinho não poderia estabelecer, de modo que os efeitos de tal estudo extrapolam em muito o simples reconhecimento de mecanismos cerebrais.

Desse modo, recuperando a argumentação de Erwin, podemos afirmar que temos evidências básicas da inibição de experiências conscientes de sintoma causadas por conflitos inconscientes, além de evidências derivadas, porém bastante sólidas, de aspectos da clínica e da teoria psicanalítica que apresentam grande solidariedade com os fatos comprovados.

Retomando a argumentação de Grünbaum, que indica a centralidade do conceito de repressão na determinação da distinção entre o inconsciente psicanalítico e o inconsciente cognitivo – de modo que o primeiro necessitaria de um mecanismo dinâmico responsável pela impossibilidade de que certos conteúdos fossem lembrados ou reintroduzidos no pensamento consciente –, vemos que o estudo é bastante satisfatório. Lembremos que Grünbaum atribuía a impossibilidade de sustentação da noção de repressão a uma inconsistência central dos fundamentos da psicanálise, colocando, assim, todo o pensamento psicanalítico em questão. Nesse sentido, o estudo de Shevrin não somente demonstra um mecanismo, mas desarma uma crítica de grande profundidade.

164 A VALIDAÇÃO EXPERIMENTAL

Por outro lado, o que podemos pensar se fizermos uma articulação do experimento com as ideias apresentadas no Capítulo 1, a respeito das considerações lacanianas sobre psicanálise e ciência? Como vimos, a célebre afirmação de que a ciência forclui a verdade como causa, ou mesmo o sujeito, parecia não ser tão incisiva na pena de Lacan, embora pareça ganhar potência com alguns pós--lacanianos. Nossa hipótese era de que a notada relativização que encontramos em "A ciência e a verdade" (1966/1998) – sempre que Lacan realizava qualquer afirmação mais direta em relação à ciência – devia-se ao fato de o psicanalista propositalmente não entrar em uma discussão mais vertical com a filosofia da ciência, indicando, desse modo, somente algumas maneiras como usualmente a questão era colocada. Como afirmamos, parece-nos que Lacan toma sua distância em relação a essas afirmações por já ter ciência dos desenvolvimentos que vinham sendo realizados nesse campo.

Entretanto, o fato de que Lacan tenha ou não afirmado e sustentado a forclusão da verdade como causa na ciência não deve ser tratado como uma referência absoluta. Esteja essa ideia presente ou não em seu ensino, interessa se de fato isso se comprova; afinal, o autor poderia estar errado, ou mesmo estar certo no momento em que fez tais afirmações, mas errado frente à situação atual.

Em nosso breve percurso sobre a história da filosofia da ciência a partir de 1960, vimos que, mesmo que tenha havido algum tipo de norma metodológica que indicasse a expulsão do sujeito como premissa, esse tipo de direcionamento não parece estar presente em autores mais atuais. O que se encontra é uma demanda de partilha e reprodutibilidade dos avanços, aspectos que respondem ao objetivo de que o conhecimento produzido seja minimamente público. O que, por outro lado, não faz a questão obsoleta, muito pelo contrário: frente a essas demandas, mesmo que não tão normativas, pode-se afirmar que a ciência rejeita o sujeito ou forclui a verdade como causa? Em outras palavras: mesmo com os avanços da filosofia da ciência e sua abertura e pluralidade metodológica, haveria, na prática, um lugar para o sujeito? Responderemos a esta questão a partir do experimento de Shevrin.

Se tomarmos como referência a parte do experimento que lida diretamente com a produção de evidências – ou seja, o momento em que os grupos de palavras encadeadas são apresentados e que as evidências são recolhidas a partir de medições de ondas cerebrais –, encontramos um belo exemplo daquilo que Lacan indica como a ciência tratando a verdade como causa formal. Não há nenhum tipo de consideração sobre os elementos presentes; as palavras-estímulo são tratadas enquanto entidades que não colocam, ao menos nesse momento, nenhuma pergunta sobre o porquê de sua presença lá, por que essas, e não outras, ou qualquer outro tipo de questionamento: a única pergunta vigente diz respeito à relação existente entre os três termos (*primes*, alvos e ondas alfa), e essa relação é questionada no que se refere à forma como esses termos se influenciam. Portanto, temos estabelecido um processo de investigação da causalidade formal.

Por outro lado, isso não significa que o fato de tratar-se a causa formal seja incompatível com tratar-se outras causalidades, tampouco com a rejeição do sujeito. Se considerarmos o fato de que a primeira parte do estudo foi realizada com entrevistas psicanalíticas baseadas em funcionamento transferencial e que são reconhecidos conflitos inconscientes que funcionam de modo repressor, então é bastante claro que o sujeito tem seu lugar preservado, no sentido de que sua divisão (*Spaltung*) não é negada ou suturada. Mas, especificamente em relação à causa material, o que podemos reconhecer? Seria ela rejeitada? Retomemos a afirmação de Lacan:

> *Decerto me será preciso indicar que a incidência da verdade como causa na ciência deve ser reconhecida sob o aspecto da causa formal. Isso, porém, será para esclarecer*

166 A VALIDAÇÃO EXPERIMENTAL

> *que a psicanálise, ao contrário, acentua seu aspecto de causa material. Assim se deve qualificar sua originalidade na ciência.*

Essa causa material é, propriamente, a forma de incidência do significante como aí eu defino.

> *Pela psicanálise, o significante se define como agindo, antes de mais nada, como separado de sua significação. (Lacan, 1966/1998, p. 890)*

A partir disso, nossa questão ganha especificidade: o experimento de Shevrin dá algum lugar para a causa material, entendida como "o significante agindo como separado de sua significação"? A resposta é simples: sim e não. *Não*, porque não é possível reconhecer esse modo de se lidar com a linguagem no artigo publicado, o que, inclusive, era esperado, já que não se parte de uma perspectiva lacaniana. Não há, definitivamente, qualquer afirmação na direção da materialidade significante, sendo que o mais próximo que se chega é à consideração de que não são os objetos em si que seriam centrais na construção sintomática:

> *Talvez surpreendentemente, nós aprendemos que não é o objeto fóbico ou a situação tomada em seu significado literal que é a fonte da experiência fóbica amplamente refletida no relato dos sintomas conscientes. Ao contrário, é o modo como esses relatos são relacionados em significado a conflitos inconscientes, de modo que a experiência consciente do sintoma vira presa das mesmas influências repressivas que estão presentes nos conflitos inconscientes e que são refletidas em nossos achados principais. (Shevrin et al., 2013. p. 8, tradução nossa)*

Por outro lado, mesmo que o experimento não tenha sido construído em bases epistemológicas que considerem a materialidade significante em sua radicalidade, o fato de ele ter sido elaborado exclusivamente a partir de dados clínicos indica algo nesse sentido. Lembremos que não estamos perguntando se a causa material, como apresentada por Lacan, é discutida no estudo, mas, sim, se ela teria lugar ou se seria rejeitada. Assim, por maiores que sejam as diferenças clínicas que se possa imaginar entre a psicanálise lacaniana e essas entrevistas realizadas a partir de noções retiradas de um momento específico e inicial do pensamento freudiano, esse caráter clínico traz consigo essa dimensão da causa material. Ela pode não ser entendida enquanto tal, pode não ser desenvolvida, mas certamente não é rejeitada.

Portanto, é nesse primeiro momento do experimento – central também para os autores, que consideram que

> *a inovação metodológica original nesse novo estudo foi mostrar que inferências desenhadas de material clínico psicanalítico inteiramente qualitativo podem ser testadas em processos cerebrais objetivamente mensuráveis. (Shevrin et al., 2013, p. 5, tradução nossa)*

– que localizamos um dos pontos centrais de nossa pesquisa. Tomando como referência um dos posicionamentos mais radicais e empiristas no que diz respeito à consideração de uma teoria como científica (no cenário atual), vê-se que existe uma clara possibilidade de articulação desses pressupostos com o pensamento psicanalítico, como demonstrado pelo estudo de Shevrin e seus colegas.

Afirmamos, consequentemente, que não é possível estabelecer uma relação de necessidade entre o pensamento científico e a forclusão da verdade como causa, ou com a rejeição do sujeito. É evidente que certos desenvolvimentos podem produzir tal fato, mas é incorreto generalizar esse funcionamento, uma vez que encontramos

168   A VALIDAÇÃO EXPERIMENTAL

um exemplo de um experimento que não realiza isso sem deixar de ter sua legitimidade reconhecida.

Diante disso, indicamos a necessidade de que esse espaço seja ocupado pelo pensamento psicanalítico. Por mais que não seja nada simples responder a certas demandas de produção de evidências, o fato de não ser, necessariamente, mutuamente excludente com a psicanálise torna essa ocupação possível eticamente e, dado o contexto de organização política e epistemológica, extremamente relevante. No entanto, essa ocupação não significa, como temos trabalhado ao longo do texto, submissão a uma epistemologia positivista que seria superior ou a métodos mais apropriados à pesquisa. Nesse sentido, como, então, localizar as pesquisas experimentais?

A experimentação para além do positivismo

Uma vez estabelecido que não existe nenhum impeditivo necessário a uma articulação entre o pensamento psicanalítico e a validação extraclínica construída a partir de bases epistemológicas radicalmente empiristas, devemos nos perguntar, por outro lado, quais são os ganhos reais de se fazer isso. Não se trata de negar as aparências ou disfarçar as evidências, mas, sim, de avaliar, uma vez demonstrada a compatibilidade entre os campos, quais avanços podem ser esperados com tal empreendimento.

Primeiramente, há um potencial ganho político de inegável importância. Se retomarmos o que foi apresentado na Introdução sobre os rumos que parece estar tomando o NIMH (Instituto Nacional de Saúde Mental dos Estados Unidos), localizando-o como um dos pontos mais extremos em relação às demandas de validação empírica, o reconhecimento da possibilidade de validação de conceitos psicanalíticos por parte de influentes filósofos da ciência, como Grünbaum, é de enorme relevância. Tal feito permite a ocupação de um espaço político essencial na determinação de políticas de saúde mental, abrindo espaço para que a psicanálise participe do debate.

Entretanto, embora esse ganho seja extremamente importante, deve-se ter cuidado com os efeitos que isso pode acarretar. Se em grande parte de nosso estudo objetivamos um ponto considerado central por muitos psicanalistas, sobre a possibilidade de responder a tais demandas sem, todavia, perder do horizonte a ética da psicanálise – ou, em outras palavras, sem negar a divisão do sujeito e, assim, simplesmente ser assimilada por um discurso que parece ter como direção normativa o silenciamento do mal-estar entendido enquanto uma questão puramente orgânica –, parece-nos que esse ponto deve ser retomado agora, pois novamente essa possibilidade parece relevante.

Se num primeiro momento concentramos nossos esforços em demonstrar alguns equívocos presentes na ideia de que essa possibilidade de negação da divisão do sujeito seria uma consequência necessária da articulação do pensamento psicanalítico com demandas de cientificidade, agora, entretanto, devemos nos debruçar no empreendimento de, frente a uma articulação possível, e até mesmo já realizada, reconhecer e evitar os riscos de que essa assimilação de fato aconteça. Trata-se, portanto, de manter ativa a tensão existente entre a clínica e sua validação, partindo do entendimento de que, se não há nenhuma necessariedade entre ciência e rejeição do sujeito, tampouco existe qualquer garantia metodológica ou epistemológica que impeça que essa exclusão aconteça. Retomemos, então, o artigo de Marcia Davidovich e Monah Winograd, "Psicanálise e neurociências: um mapa dos debates" (2010). Nesse texto, as autoras definem três posições básicas em relação à articulação entre psicanálise e ciência: haveria os que defendem a hibridação, os que rejeitam qualquer articulação e aqueles que propõem um diálogo.

Em relação ao primeiro grupo, formado a partir da influência de autores como Kandel e Damásio, entre outros, haveria uma clara

170 A VALIDAÇÃO EXPERIMENTAL

hierarquização: a psicanálise seria apontada como apresentando um déficit científico que atrapalharia o seu desenvolvimento, de modo que deveria recorrer a métodos estabelecidos nas neurociências para construir uma base epistemológica e conceitual mais sólida para sua clínica: "As neurociências poderiam fornecer à psicanálise fundamentos empíricos e conceituais mais sólidos sobre o funcionamento psíquico" (Davidovich & Winograd, 2010, p. 802), de modo que se trataria mais de uma espécie de colonização da psicanálise por um saber mais avançado do que da conjugação de saberes e métodos distintos. Como diz a autora,

> *Considerando-se o que está implícito neste grupo, ou seja, uma hierarquização de modelos epistemológicos em que é conferido às neurociências um lugar de privilégio em relação à psicanálise, exacerba-se o risco de se realizar nessas pesquisas uma redução explicativa, e não apenas a necessária redução metodológica. (Davidovich & Winograd, 2010, p. 804)*

Encontramos, portanto, exatamente o que diversos psicanalistas apontam como risco de assimilação ideológica, inclusive com uma possível sutura do sujeito: tomar como modelo conceitual uma racionalidade que pensa a psicopatologia inteiramente a partir de processos orgânicos é, no limite, a famigerada sutura do sujeito apontada por Joël Dor (1988a, 1988b). Contudo, como temos visto em nosso trabalho, a recusa dessa articulação também não parece ser produtiva. De fato, Davidovich e Winograd associam à psicanálise lacaniana uma posição de rejeição desse diálogo, por motivos extremamente próximos daqueles que trabalhamos na Introdução e no Capítulo 1:

> *Baseando-se no pensamento de Lacan, os representantes desse grupo discordam de uma articulação entre psicanálise e neurociências, alegando ser uma proposta*

> *inviável, já que a psicanálise não poderia ser considerada uma ciência. Deve-se notar que a posição lacaniana apenas reconhece que a psicanálise nasceu da ciência, tendo introduzido nela algo novo, que assume um valor de subversão. O discurso lacaniano orienta-se, em sua maior parte, pelo raciocínio de que "a psicanálise introduziu na ciência aquilo mesmo que, tendo-o inventado e sendo por ele sustentado, a ciência exclui: o sujeito" (Elia, 1999, p. 43). (Davidovich & Winograd, 2010, p. 805)*

Como visto, a ideia de que a ciência exclui necessariamente o sujeito só parece se sustentar se baseada numa concepção bastante datada de ciência, e tanto desenvolvimentos posteriores em filosofia da ciência como experimentos específicos na articulação entre neurociências e psicanálise demonstram a não procedência dessa ideia. Em relação ao primeiro grupo, também não nos parece que o experimento de Shevrin se encaixe, uma vez que estabelece solidamente princípios e conceitos psicanalíticos e é realizado a partir de material retirado inteiramente da clínica. Desse modo, parece que estamos diante do terceiro grupo indicado por Davidovich e Winograd, que defenderia um diálogo produtivo entre os campos, mas sem resultar numa colonização ou hierarquização das disciplinas. Como dizem as autoras,

> *É importante salientar que as abordagens psicanalítica e neuropsicológica são incomparáveis do ponto de vista teórico e epistemológico – o que absolutamente não impede que possam trabalhar lado a lado e em colaboração. Se a Psicanálise é uma prática centrada na transferência e na causalidade psíquica inconsciente, a Neuropsicologia Cognitiva situa-se do lado de uma causalidade*

172　A VALIDAÇÃO EXPERIMENTAL

> *científica apoiada no método experimental; porém, em torno do mesmo objeto de investigação (o lugar da cognição na organização psíquica) e da intervenção clínica no acompanhamento dos pacientes, uma não substitui a outra. (Davidovich & Winograd, 2010, p. 807)*

Entretanto, e esta é a questão central que nos ocupa agora, como seria possível evitar que o recurso à experimentação empírica, como feito por Shevrin, não seja incorporado, produzindo um reducionismo teórico da psicanálise ou o estabelecimento de uma superioridade metodológica? Uma primeira resposta, como indicada por Winograd, é reforçar a necessidade de horizontalidade nessa relação. Um segundo ponto, é a diversificação de articulações, de modo que a psicanálise não eleja as neurociências ou qualquer outro tipo de ciência experimental como interlocutor privilegiado. Mas existe um terceiro ponto, que diz respeito ao modo como entendemos a experimentação.

Assim, podemos retomar uma passagem de Edward Erwin (como prometido), quando o autor faz uma breve consideração sobre o fato de evidências empíricas serem mais apropriadas a serem consideradas evidências em si:

> *Os melhores candidatos a ser evidência em si são, é claro, evidências observacionais. Ninguém desafia isso, exceto alguém que negue que qualquer tipo de evidência é evidência em si. Eu não vou discutir essa posição aqui porque acredito que ela leva a um ceticismo completo sobre evidências, uma posição não atrativa para qualquer pessoa tentando fornecer suporte evidencial para a teoria psicanalítica. (Erwin, 2015, p. 40, tradução nossa)*

Coloquemos em questão, por um momento, isto que o autor indica como não sendo interessante: existe algum tipo de evidência em si? Ou, colocado de outra maneira, será que a articulação da psicanálise com métodos experimentais responde somente a demandas de uma produção positivista evidencial? Mesmo que a resposta seja positiva, o que estamos chamando de evidência? Trata-se do reconhecimento, na realidade, de representações realizadas? Reconhecimento de fatos que podem ser diretamente vistos ou medidos? Trata-se somente de teste de teorias? Não necessariamente.

Não estamos, aqui, descartando o valor epistemológico e muito menos o valor político de se estabelecer um diálogo com esse modo de se tratar evidências empíricas. Existe, contudo, outros modos de se entender o valor da experimentação que não se apoiam numa relação tão imediata entre aquilo que pode ser visto diretamente em um experimento e aquilo que pode, portanto, ser inferido. Nesse sentido, estamos apresentando mais um argumento que sustenta o interesse de realizar esse tipo de empreendimento e, para tal, recorreremos a outro filósofo da ciência: Ian Hacking.

Hacking e o realismo científico de entidades

Filósofo da ciência nascido no Canadá e formado na Inglaterra, Hacking foi, como Granger e Foucault, professor de epistemologia do Collège de France (2001 a 2005). Situando-se em uma espécie de ponto intermediário entre posições relativistas e positivistas, o autor ficou conhecido por seu "realismo modesto" (Mendonça, 2012), reconhecendo a importância de autores como Kuhn e Feyerabend numa reorganização da racionalidade científica, mas evitando leituras extremadas desses autores e buscando pontos de apoio para uma definição rigorosa e produtiva do conhecimento científico. Em seus desenvolvimentos, ele propõe uma subversão de como aconteceria o progresso científico, defendendo a importância da experimentação não somente enquanto validação, mas como momento de produção de novos fenômenos e, portanto, novas hipóteses. Mas, antes de chegarmos nesse ponto, é necessário entender o que ele chama de realismo e sua posição frente a isso.

O realismo científico é um movimento da filosofia da ciência bastante popular entre estudiosos que tratam de fenômenos não observáveis. Em linhas gerais, estabelece que "entidades, estados e processos descritos por teorias corretas realmente existem" (Hacking, 1983/2012, p. 81), opondo-se a uma corrente antirrealista que negaria a existência de tudo que não pode ser visto diretamente:

> *O antirrealismo diz o oposto: coisas tais como elétrons não existem. Existem fenômenos da eletricidade e da herança genética, mas nossa construção de teorias sobre minúsculos estados, processos e entidades se dá apenas de modo a possibilitar previsões e produzir eventos pelos quais nos interessamos. Elétrons são ficções, e as teorias a seu respeito são ferramentas de pensamento. Teorias são ferramentas adequadas, ou úteis, ou fundamentadas, ou aplicáveis; mas não importa quão admiráveis sejam os triunfos especulativos e tecnológicos da ciência natural, não devemos considerar verdadeiras nem mesmo suas teorias mais convincentes. (Hacking, 1983/2012, p. 81)*

Se muito grosseiramente pode-se estabelecer essa oposição entre realismo e antirrealismo, isso não significa que os dois campos sejam internamente homogêneos, de modo que dentro do próprio realismo científico é possível encontrar ao menos duas vertentes: uma que defende que existiria uma relação entre teorias e a verdade e outra que diz respeito somente à existência de entidades – se aquilo que está sendo tratado existe ou não. Nesse sentido, se a primeira vertente postula uma correspondência entre a teoria e a realidade, na segunda, defendida por Hacking, parte-se somente do pressuposto de que, mesmo que seja impossível conhecer realmente todas as propriedades e características de algo, podemos, contudo, defender sua existência:

> *A versão dessa postura relativa às entidades científicas diz que temos boas razões para supor que os elétrons existem, embora seja impossível estabelecer completamente uma descrição do que eles são. Esse é o caso em que as teorias são constantemente revisadas, utilizando-se, para diferentes propósitos, de diferentes modelos de elétrons, incompatíveis entre si. É impossível defender que todos são literalmente verdadeiros, mas, de qualquer maneira, eles são elétrons. (Hacking, 1983/2012, p. 88)*

Desse modo, podemos isolar dois pontos principais que nos interessam em relação a Hacking. Primeiro, a ideia de que experimentos não são meras reproduções da realidade; segundo, o fato de podermos estabelecer a existência de entidades não diretamente observáveis a partir da ciência experimental. Vejamos, então, as características e os cruzamentos dessas duas ideias.

Para compreender corretamente as afirmações de Hacking acerca da experimentação, é necessário, antes, estabelecer o modo como ele trabalha com os conceitos de representação e realidade. Segundo o autor, a realidade não seria apenas um atributo da representação, mas, sim, algo que se conjuga, de modo que tanto as representações criariam realidades como as realidades definiriam modos possíveis de representação. Em outras palavras, a questão se complexifica pelo fato de que é possível construir diferentes representações sobre um

176 A VALIDAÇÃO EXPERIMENTAL

mesmo fenômeno (ou sobre uma mesma entidade), de modo que a relação entre representação e realidade deixa de ser unívoca: "O problema surge porque temos sistemas alternativos de representação" (Hacking, 1983/2012, p. 222). Essa ideia é trabalhada pelo autor a partir da análise de estudos de Heinrich Hertz, nos quais são apresentados três modos diferentes de se entender a física mecânica. Segundo Hacking, esses desenvolvimentos de Hertz colocavam um problema enorme ao racionalismo científico; entretanto, somente muitos anos depois é que essa ideia poderia ter tido impacto.

O autor defende, assim, que foi justamente esse o ponto central da instabilidade que Kuhn teria localizado no pensamento científico. Não por acaso, as ideias de Hertz estariam presentes no início de *As estruturas das revoluções científicas* (1962) e serviriam como um "cartão de visitas" do argumento central do livro. Hacking indica que o livro de Kuhn sustentaria, no limite, a inexistência de qualquer critério que garanta que uma representação da realidade é melhor que outra: "A escolha das representações é impulsionada pelas pressões sociais. Kuhn veio nos apresentar como fato bruto tudo aquilo que Hertz considerava assustador demais até para ser discutido" (Hacking, 1983/2012, p. 228). Esse ponto é central, uma vez que define o modo como Hacking defende que a ciência deve se posicionar em relação à realidade – não numa relação de representação inequívoca, mas também não a partir de uma ruptura completa:

> *Acho que ele (o debate sobre o realismo científico) vem da sugestão de Kuhn e outros de que, à medida que o conhecimento cresce, de revolução em revolução, passamos a habitar mundos diferentes. Novas teorias são novas representações, e novas representações criam novos tipos de realidade. E isso se segue tão somente de meu relato a respeito da realidade como um atributo da representação. (Hacking, 1983/2012, p. 223)*

Deve-se ressaltar, contudo, que o autor não defende uma total independência entre fato e representação, mas uma incontornável incompletude no que diz respeito a uma representação inequívoca, que indica não somente que o que se diz nunca esgota o objeto, mas também que a escolha daquilo que é dito (ou representado) em detrimento do que é deixado de fora não responde a uma questão regular e necessária da racionalidade científica – mas, sim, a uma construção em que experiência e teoria se conjugam de modo interdependente, produzindo novas realidades. É justamente a partir dessa construção que Hacking defenderá a importância da experimentação na racionalidade científica, não somente enquanto "teste" da teoria, mas principalmente enquanto motor que faz as engrenagens girarem – pois seria justamente com a criação de novas realidades que a teoria avançaria de modo mais potente.

Desse modo, a articulação indicada no título do livro, entre representação e intervenção, é localizada como horizonte da realidade científica, que não deve mais ser compreendida como a primazia da teoria sobre a experimentação, mas, sim, a partir do entendimento de que, ao mesmo tempo que a ciência propõe representações, ela também intervém no mundo, de modo que a realidade representada é também por ela criada:

> *Diz-se que a ciência tem dois objetivos: teoria e experimento. As teorias tentam dizer como o mundo é. Os experimentos e a tecnologia subsequente mudam o mundo. Nós representamos e nós intervimos. Nós representamos de modo a intervir e intervimos de modo a representar. A maior parte do debate a respeito do realismo científico na atualidade se dá em termos de teoria, representação e verdade. As discussões são esclarecedoras, mas não são decisivas. Isso se deve principalmente ao fato de estarem infectadas com metafísica intratável.*

178 A VALIDAÇÃO EXPERIMENTAL

> *Suspeito que não possa haver argumento final a favor ou contra o realismo no nível da representação. Mas quando nos voltamos da representação para a intervenção, quando bombardeamos gotas de nióbio com pósitrons, o antirrealismo esmorece.*
>
> *... Na filosofia, o árbitro final não é como pensamos, mas o que fazemos. (Hacking, 1983/2012, p. 93)*

Deve-se notar que essa questão é tratada de modo bastante prático pelo autor, que recorre a experimentos físicos para sustentar suas ideias. Ele dá exemplos de cientistas cujos experimentos claramente não se limitam à tentativa de explicação de fenômenos, mas que criam fenômenos que viriam a ser essenciais para as teorias. Desse modo, a experimentação não é entendida como reprodução, mas, sim, como a criação de fenômenos em que certas características possam ser observadas com maior estabilidade e controle. Entretanto, por se tratar da criação de novos fenômenos, também se abre a possibilidade para o encontro de efeitos inesperados, assim como para a produção de coisas que não existiam na natureza. Em outras palavras, os experimentos, muito mais do que reproduzir ou mesmo descobrir, criam novas maneiras de se observar fenômenos e efeitos que se quer explicar, de modo que suas consequências são muito mais amplas do que um simples teste. Mais que isso, os experimentos também servem para se reconhecer a existência de entidades não observáveis, ponto em que a experimentação ganha centralidade no realismo científico.

Retomando o debate entre realismo e antirrealismo, o autor define que se uma entidade hipotética pode ser utilizada em um experimento de modo a produzir e explicar um fenômeno, tem-se que, no mínimo, ela existe. Nesse sentido, a realidade de uma entidade é definida pelo reconhecimento de sua potência causal: "Com base nesses princípios trataremos como real aquilo que podemos utilizar para intervir no mundo de forma a afetar algo, ou aquilo que o mundo utiliza para nos afetar" (Hacking, 1983/2012, p. 231). Para tanto, o autor aponta a centralidade da experimentação. Em suas palavras,

> *O trabalho experimental nos fornece a mais forte evidência para o realismo científico. Isso não se deve a podermos testar hipóteses a respeito de entidades, mas sim ao fato de as entidades que a princípio não podem ser "observadas" serem regularmente manipuladas para produzir novos fenômenos e investigar outros aspectos da natureza. Elas são ferramentas, instrumentos da prática, e não do pensamento. (Hacking, 1983/2012, p. 369)*

Sigamos, então, o exemplo mais utilizado por Hacking, em relação aos elétrons. Os elétrons, como entidades, tiveram sua existência contestada por muito tempo. De fato, é um problema bastante complexo pensar em modos de provar sua existência; entretanto, era possível interagir com eles. Segundo o autor, a partir da compreensão de certos efeitos que poderiam ser causados pelos elétrons, começou a ser possível a elaboração de dispositivos que permitiam tratar outros fenômenos.

> *Quando se torna possível utilizarmos o elétron para manipular outras partes da natureza de forma sistemática, o elétron deixou de ser algo hipotético, uma entidade inferida. É a partir desse momento que o elétron não é mais algo teórico, e sim experimental. (Hacking, 1983/2012, p. 369)*

Para Hacking, essa mudança de caráter de uma entidade teórica inferida para uma entidade que pode ser utilizada experimentalmente é uma prova de existência. Isso não significa que tudo que possamos pensar a partir de um experimento exista – inclusive porque se pode pensar em um experimento justamente para verificar a

180 A VALIDAÇÃO EXPERIMENTAL

existência de algo. Entretanto, o autor sustenta que, uma vez que podemos manipular uma entidade para produzir outros fenômenos e efeitos, tem-se aí não uma inferência, mas um sinal da existência da entidade.

Isso não significa, contudo, que as teorias acerca do fenômeno sejam verdadeiras, construção típica do realismo científico de teorias, o qual é rejeitado pelo autor. Segundo ele, a única coisa que se pode postular é a existência da entidade enquanto causando efeitos naquele momento do experimento, a partir do que se pode construir certos modos de compreensão, tanto do fenômeno quanto da entidade em si. Entretanto, deve-se notar a diferenciação que o autor faz entre as inferências construídas e sempre incompletas (ou passíveis de reelaboração) e a existência. Inclusive, esse é um ponto que o autor esclarece na introdução à edição brasileira do livro, aludindo a assimilações que indicam que ele teria sido motivo de compreensões erradas sobre o fato de se inferir a existência. Segundo ele, o modo de existência que se verifica no momento em que a entidade causa efeitos e é utilizada para criar novos fenômenos não se reduz a uma simples inferência:

> *Meu realismo experimental original vem daqui:*
> (α) O trabalho experimental fornece a evidência mais forte da realidade de uma entidade teórica que não pode ser observada.
> *Sempre tive em mente um realismo sobre esta ou aquela entidade – usando meu exemplo trivial do elétron ou, de modo mais interessante, dos elétrons polarizados. Agora, acho que não deveria ter falado em "evidência" de modo algum, porque assim parece que estamos "inferindo" a existência de uma entidade que usamos. Em resumo, isso convida a um retorno ao que John Dewey chamou de "teoria do conhecimento do espectador". A ciência não é um esporte de espectador. É um jogo para ser jogado,*

> *e os jogadores de futebol (para usar um exemplo brasileiro) não inferem a existência da bola: eles a chutam, cabeceiam, têm um objetivo com ela, normalmente a perdem, mas às vezes marcam gols. (Hacking, 2012, p. 43)*

Isso reforça, como vimos, a ideia de que se deve dar atenção ao caráter interventivo da ciência, e não somente ao explicativo. Desse modo, o autor não aponta dois modos distintos de se fazer ciência, mas justamente a impossibilidade de separação entre eles. Não haveria uma ciência interventiva e outra explicativa, mas, sim, uma relação em que representação e intervenção se influenciam em cada desenvolvimento, de modo que se pode tanto pensar em um ponto de solidariedade entre o fenômeno e sua explicação – uma vez que o fenômeno explicado não deixa de ser criado – como também em um modo de se estabelecer a existência da verdade de uma entidade a partir do momento em que ela pode ser usada de modo causal. Nesse sentido, Hacking aponta as aplicações da ciência como um indicativo da realidade das entidades, uma vez que elas só podem causar efeitos se existirem.

Desse modo, seu realismo pode mesmo ser aproximado a um certo pragmatismo, no qual o valor da utilidade da teoria se sobreporia a discussões improdutivas:

> *Enquanto os positivistas negam a causação e a explicação, os pragmatistas – ou pelo menos a tradição peirciana – aceitam-nas de bom grado, supondo que venham a se apresentar como úteis e duráveis às gerações futuras de pesquisadores. (Hacking, 1983/2012, p. 134)*

Vê-se, portanto, que o realismo científico de entidades defendido pelo autor se coloca fora de uma discussão apontada por ele como não resolvível, entre realistas teóricos e antirrealistas, no que diz respeito à possibilidade (ou não) de correspondência inequívoca entre teoria e realidade. Desse modo, Hacking abre mão do estabelecimento de verdades conceituais, mas defende que as causas devem

182 A VALIDAÇÃO EXPERIMENTAL

ser entendidas enquanto provenientes de fenômenos reais, existentes. Será, então, que reencontramos, no lugar mais improvável, uma ideia de verdade como causa?

Não devemos nos apressar em uma conclusão assim precipitada, uma vez que as partes que estamos aproximando apresentam grande complexidade. Não nos cabe aqui realizar um estudo sobre a noção de verdade de Hacking para, então, confrontá-la com os pontos desenvolvidos em relação à verdade em Lacan. Podemos, contudo, estabelecer interessantes pontos de diálogo entre as ideias de Hacking e o caminho que percorremos neste estudo.

Primeiramente, não podemos deixar de notar uma clara possibilidade de aproximação no modo de se entender que nunca se produz um conhecimento completo de um fenômeno ou de uma entidade, embora possa se notar a existência de efeitos e causas. Nesse sentido, temos um ponto em comum que diz respeito (1) à incompletude do saber produzido frente a um real que excede a realidade. Como diz Guy Le Gaufey,

> *Aí está o que a psicanálise pode trazer de mais precioso à racionalidade científica: uma capacidade de reconhecer o que é que têm de decisivo esses relances imaginários na encruzilhada das redes simbólicas com as quais a maioria das ciências aspira, ainda, a se confundir totalmente. A ciência reduzida a ser só calculo: aí está um ideal clássico que implicava, sem dúvida alguma, uma efetiva completude do simbólico. A partir do momento em que o contrário é verdadeiro, esse ideal pode não ter mais o mesmo poder legiferante, e a ciência que resta a ser feita poderia, talvez, sem temer por sua sustentação racional, interessar-se por um sujeito do qual, no passado, ela não tinha ideia – um sujeito que se origina,*

assim como ela, na borda de uma mesma incompletude.

(Gaufey, 2001)

Embora esse tipo de posicionamento não seja exclusivo do realismo científico de entidades, vimos como essa ideia é central na construção de Hacking, assim como o é para a psicanálise. Um segundo ponto interessante de interlocução encontra-se entre a ideia da criação de fenômenos e a defesa, por parte de diversos psicanalistas, de que (2) certos fatos sobre os quais versa a teoria analítica seriam produzidos num contexto específico. Nesse sentido, reconhecemos um ponto de possível aproximação no que diz respeito ao fato de que a criação de fenômenos que não podem ser encontrados da mesma forma na natureza (ou na sociedade) não depõe contra a consistência de sua existência nem contra sua pertinência conceitual. Poderíamos, então, considerar que a clínica teria grande proximidade da experimentação científica pelo fato de criar fenômenos novos que produzem avanços na teoria? Em certo sentido, sim – uma vez que isso, de fato, acontece. Entretanto, continua apresentado um problema em relação ao caráter privado em que isso é produzido, de modo que suas extrapolações são sempre um pouco frágeis. Como dizem Rassial e Pereira,

> *Nos seria suficiente, assim, sem lhe dar substância, tratar o inconsciente como um efeito do próprio dispositivo analítico, mas somente, em extensão, no campo antropológico, como uma ficção nocional que permite dar uma razão parcial a certos fenômenos, o que tenta Freud já na Psicopatologia da vida cotidiana. (Rassial & Pereira, 2008, p. 75, tradução nossa)*

Em outras palavras, podemos pensar, a partir de Hacking, que entender o inconsciente enquanto algo produzido a partir de uma

184 A VALIDAÇÃO EXPERIMENTAL

experiência criada – que não seria encontrada desse modo na realidade – em nada diminui seu valor. Mais do que isso, a possibilidade de explicação de outros fenômenos a partir do que se conhece sobre o inconsciente só faz confirmar sua existência. Assim, o inconsciente poderia ser verificado a partir de seus efeitos. Lembremos que o cerne da crítica de Grünbaum é a possibilidade de sustentação da existência do inconsciente freudiano, um inconsciente dinâmico, que funcionaria atravessado pelo mecanismo da repressão. Tendo o realismo científico de entidades como referência, a existência poderia ser estabelecida a partir da possibilidade de explicação e criação de outros fenômenos a partir do que se conhece sobre o inconsciente. Grande parte de validações extraclínicas utiliza como recurso a explicação de outros fatos,[22] entretanto, essa modalidade é vulnerável a críticas de falta de controle e precisão. O experimento de Shevrin, contudo, parece realizar justamente o que é defendido enquanto o valor do experimento para o realismo, e aí vemos um terceiro ponto interessante de aproximação: ele (3) cria um fato novo a partir das premissas da psicanálise.

Podemos entender, nessa perspectiva, que um experimento realizado de modo completamente baseado em material clínico qualitativo tem seu mérito em criar um fenômeno novo, que só pode ser idealizado a partir do que era conhecido acerca das entidades cuja existência se queria provar. Não significa que conflitos inconscientes ou resistência não existiam antes do experimento, mas, sim, que a experiência de um sujeito olhando para a tela de um taquistoscópio – na qual estavam sendo projetadas palavras (previamente escolhidas) sub e supraliminarmente, com a possibilidade de medição das ondas alfa –, isto é uma experiência inédita. Não se trata, portanto, de representação da realidade, mas da criação de um fenômeno no qual certos efeitos podem ser observados com maior

---

22 Conferir Iannini (2007).

precisão e controle, e que só pôde ser elaborado a partir da manipulação de certas entidades. Para além das diversas explicações que podem ser relacionadas ao que se encontrou (e ao que se encontra) na clínica, o que se pode estabelecer é a existência dos conflitos inconscientes como causa de uma inibição ligada à repressão. O que se constata, no limite, é que essa inibição é causada e o experimento explicita as entidades a partir das quais isso pode ser produzido.

Além disso, não se trata, também, de realizar um experimento que seja completamente replicável. Segundo Hacking, o interesse não está exatamente na repetição, mas esta seria, na verdade, uma consequência de um experimento de sucesso:

> *Todo mundo já ouviu dizer que os resultados experimentais, por definição, precisam ser reproduzíveis. No meu modo de ver, dizer isso é como formular uma tautologia. O experimento é a criação dos fenômenos; os fenômenos precisam ser regularidades discerníveis – logo, um experimento que não pode ser repetido não pode ter criado um fenômeno. (Hacking, 1983/2012, p. 329)*

Por outro lado, a possibilidade de repetição da criação de regularidades discerníveis não significa que os experimentos precisem ser idênticos. Ao contrário, como diz o autor, usualmente os experimentos são reconstituídos com outros equipamentos, com o intuito de se gerar dados mais precisos. Nesse sentido, não existe uma relação necessária entre todos os detalhes do experimento e a criação de regularidades discerníveis. Isso nos interessa, uma vez que qualquer tipo de reconhecimento de regularidade que tenha a clínica como fonte nunca tem como partida conjunturas exatamente iguais. Pelo contrário, as regularidades são percebidas a partir de eventos atravessados por uma singularidade radical, o que não impede, contudo, que possamos reconhecer padrões. Aqui, encontramos um quarto ponto de possível articulação, uma vez que é (4) a busca por regularidades discerníveis – e não por uma repetição total – que permite que um experimento empírico possa ser articulado com dados clínicos qualitativos sem que a clínica perca sua especificidade.

Além disso, acreditamos que essa racionalidade presente na obra de Hacking, que indica a pertinência de algo a partir de sua possibilidade de explicar e produzir outros fenômenos, pode ser de grande valia para a psicanálise. Mesmo com as dificuldades encontradas nas articulações com validações experimentais, a articulação com outros campos a partir dos quais se pode estabelecer a consistência de aspectos da clínica psicanalítica de modo mais aberto é extremamente interessante. Nesse sentido, reconhecemos, por exemplo, a via aberta pela problemática do efeito placebo, fenômeno cuja explicação pode muito bem ser feita a partir de conceitos psicanalíticos e que permite, por outro lado, experimentações com possibilidade de articulação com a clínica (Brakel, 2007).

Porém, há ainda um ponto que deve ser questionado, que diz respeito à experimentação enquanto prática importante no avanço do conhecimento, justamente por produzir novos efeitos que demandam desenvolvimentos teóricos. O que podemos pensar disso em relação à psicanálise? Num primeiro momento, obviamente indicaríamos que a clínica funciona exatamente deste modo: seria justamente a partir da consideração da soberania da clínica sobre a teoria e nos furos produzidos pelo real na clínica que seriam produzidos os avanços do pensamento psicanalítico. Talvez não todos, se considerarmos os férteis encontros que a psicanálise tem com outras disciplinas, que muito contribuem para seu desenvolvimento teórico e clínico – como vemos, por exemplo, nas articulações entre psicanálise e antropologia (Dunker, 2015) ou mesmo nos recursos à linguística (Milner, 2010). Porém, o que poderíamos pensar em relação à experimentação? Existiria a possibilidade de se produzir avanços teóricos?

Como possibilidade, a resposta é claramente positiva, uma vez que não haveria nada que impedisse a produção de efeitos que demandassem novas explicações. Mas, na prática, qual seria a chance de isso acontecer? No experimento de Shevrin, por exemplo, pode-se reconhecer algum resultado que possa produzir avanços? De fato, sim: lembremo-nos de que os autores apontam para a produção de resultados inesperados em relação à similaridade encontrada na previsão de potência alfa de *primes* supraliminares de sintomas conscientes em relação a alvos de sintoma consciente e a alvos de palavras-controle. Uma primeira hipótese é levantada sobre a possibilidade de esse tipo de inibição ser produzida pela rememoração de situações sintomáticas, feita de modo consciente. Seria, portanto, uma possibilidade de aprofundamento das diferenças entre a inibição com causas inconscientes e a inibição com causas conscientes – o que é indicado como assunto a ser tratado em futuros estudos. Trata-se, sem dúvida, de uma questão bastante insipiente – e talvez até mesmo lateral – para a psicanálise. Isso não significa, todavia, que questões mais interessantes não possam surgir com o aperfeiçoamento dos experimentos, fato inclusive previsto por Hacking, ao indicar a grande frequência com que, inclusive, os experimentos falham:

> *Experimentar é criar, produzir, refinar e estabilizar os fenômenos. Se estes fossem abundantes na natureza, como amoras prontas para serem colhidas no verão, o não funcionamento dos experimentos seria estranhíssimo. Mas os fenômenos são difíceis de serem produzidos de qualquer forma estável. Por isso eu falei a respeito de criar fenômenos, e não meramente de descobri-los. Trata-se de uma tarefa longa e árdua. (Hacking, 1983/2012, p. 330)*

Nesse sentido, se retomarmos a questão de se a articulação da psicanálise com neurociências (ou com alguma outra ciência

188 A VALIDAÇÃO EXPERIMENTAL

experimental) poderá trazer avanços significativos para o pensamento psicanalítico, há indícios de que sim. Mais que isso, o que podemos afirmar é a inexistência de qualquer impedimento necessário da articulação entre os dois campos, além dos ganhos em se debruçar sobre tal empreendimento.

Conclusão

Retomando o caminho percorrido em nosso livro e considerando o objetivo principal de estabelecer possibilidades de diálogo e articulação entre psicanálise e ciência, consideramos que alguns avanços puderam ser realizados. Entre eles, o principal foi o de estabelecer a possibilidade de uma interessante articulação entre psicanálise e ciências experimentais, a partir de um experimento que conjuga neurociências com dados clínicos qualitativos.

Foi possível, antes de tudo, reconhecer alguns equívocos frequentemente presentes nesse debate. O primeiro diz respeito a tomar como referência uma concepção datada de ciência, a partir da qual a exclusão total do sujeito e o horizonte de construção de um saber que se adeque absolutamente à verdade se colocam como pontos intransponíveis a uma possível conjugação entre psicanálise e ciência. Esses pontos não necessariamente andam juntos, mas a presença de um deles já se mostra suficiente para o entrave de um debate produtivo. Como vimos no Capítulo 1, tal posicionamento só é possível diante da desconsideração de notáveis avanços realizados no campo da filosofia da ciência, o que constitui um grave erro

190 CONCLUSÃO

histórico. Conferimos que, mesmo na pena de Lacan, uma aparente afirmação sobre a rejeição do sujeito, ou sobre a forclusão da verdade como causa, não parece se sustentar em uma leitura mais rigorosa. Ao contrário, foram observados alguns sinais de que o próprio psicanalista tinha em consideração certos avanços, o que o faria tomar certa distância de afirmações conclusivas em relação a isso. Em linhas gerais, pode-se apontar que uma frequente confusão entre teses de história do pensamento científico e construções sobre teoria do pensamento acabam por produzir esse equívoco, ao se tomar algo historicamente delimitado como um traço necessário.

Para além do questionamento sobre a posição de Lacan (estivesse ele certo ou errado), ignorar o movimento da filosofia da ciência faz parecer que o objetivo de certos debates seria mais um reforço de algumas posições já conhecidas da psicanálise lacaniana – que, todavia, acabam por ter efeitos somente em uma comunidade muito restrita de psicanalistas. Perde-se, assim, os ganhos provenientes de uma real abertura ao diálogo e à troca com outras disciplinas. De fato, essas posições produzem um claro fechamento da psicanálise em si mesma, diminuindo a possibilidade de interlocução com outros saberes e enfraquecendo de modo inconsequente o pensamento psicanalítico no debate político.

Outro equívoco que foi reconhecido é a confusão entre pesquisa científica (ou linguagem científica) e discurso da ciência. Como visto, se a primeira diz respeito à construção de um modo (ou modos) de produção de conhecimento, o segundo mostra-se como um modo de assimilação na cultura, enquanto ideologia. Nesse sentido, mesmo a partir da teoria dos discursos de Lacan, pode-se estabelecer a oscilação da ciência entre os discursos do mestre, da histérica e da universidade, de modo que podemos entendê-la enquanto projeto, pesquisa e instituição; somente num segundo momento, Lacan afirma o discurso científico enquanto uma modificação do discurso do mestre, baseado em um conteúdo cientificista, e produzindo um tipo de subjetividade muitas vezes entendido como silenciador da divisão do sujeito. Entretanto, ressaltamos que isso não é aplicável à ciência como pesquisa, mas a um certo modo de assimilação na cultura, de acordo com o qual algumas ideias presentes na ciência se generalizam como ideologia, servindo, assim, como material narrativo utilizado no recobrimento da clivagem entre discurso e práxis.

Essa diferenciação é central, uma vez que as possibilidades de tratamento dessas duas dimensões são absolutamente distintas, embora seja possível reconhecer pontos de encontro. É possível realizar uma crítica ao discurso da ciência enquanto ideologia, inclusive a partir da psicanálise; deve-se ter em conta, contudo, que o que está sendo realizado é uma crítica da ideologia, e não da ciência. Por outro lado, pensar em pontos de articulação epistemológica ou metodológica entre psicanálise e ciência não significa fazer uma crítica da ideologia, ao menos não no sentido geral do caso supracitado. É claro que se pode considerar que qualquer debate é atravessado pela ideologia, mas é diferente se realizar uma crítica à ideologia e uma tentativa de articulação que pode ter como resultado a reorganização de um pensamento que, consequentemente, significaria certa mudança na incidência ideológica. Assim, é possível elaborar um debate epistemológico que reconheça os atravessamentos ideológicos, mas que tenha como objetivo não a crítica da ideologia, e sim fazer avançar a epistemologia. São duas coisas diferentes.

Em todo caso, mesmo tendo em vista uma crítica mais geral ao modo como certos saberes ganham hegemonia na forma atual de organização social, parece-nos que poder estabelecer uma crítica que partilhe de alguns pressupostos epistemológicos e metodológicos, ou que ao menos ofereça alguns pontos possíveis de diálogo e de troca, seria mais efetivo. Partindo de ataques à legitimidade da psicanálise por ela não se adequar a certas demandas de cientificidade, qualquer resposta que se baseie em um pensamento psicanalítico demasiadamente internalista e que tenha como objeto a ciência em

192 CONCLUSÃO

si corre o risco de ser desqualificada de antemão e simplesmente reforçar a desqualificação pela suposta acientificidade. Nesse sentido, nem que seja para poder ter maior influência no cenário político, em que certas práticas ganham legitimidade, estabelecer articulações é mais interessante, pois uma crítica que tenha ressonância para além do próprio grupo que a realiza é uma crítica com maior possibilidade de efetividade. Isso não significa, entretanto, que somente esse passo seja suficiente: seria ingênuo supor que a relação entre pesquisas científicas e a tomada de decisões em políticas públicas, ou mesmo a circulação ou legitimidade social de certas práticas, seja tão imediata. Acreditamos, contudo, que, mesmo que insuficiente, esse passo seja essencial, pois sem esse movimento de aproximação, todas as portas se mantêm fechadas.

Estabelecidos esses dois grandes equívocos geralmente encontrados no lado dos psicanalistas, realizamos um exame das possibilidades de articulação entre psicanálise e algumas demandas de validação conceitual, baseadas em critérios empiristas bastante radicais. Teve-se como núcleo, portanto, a consideração de algumas críticas à falta de validação extraclínica da psicanálise, entendida como um calcanhar de Aquiles na construção de um pensamento que não ofereceria pontos externos de validação, ficando vulnerável a acusações de circularidade em seu funcionamento. Esse tipo de crítica nos pareceu interessante por se tratar de um dos pontos mais improváveis e de difícil articulação, de modo que estaríamos trabalhando em um limite. Isso foi feito a partir de um interessante experimento realizado por Howard Shevrin e seus colegas (Shevrin et al., 2013), que conseguiu articular dados clínicos absolutamente qualitativos com um experimento neurocientífico.

Os resultados desse estudo mostraram uma clara possibilidade de articulação entre os dois campos, afirmando a improcedência de acusações de que a ciência rejeitaria o sujeito, ou qualquer coisa dessa ordem. O que foi encontrado revela uma clara articulação entre um modo limite de consideração da racionalidade científica e a clínica psicanalítica, sendo que o primeiro momento do estudo foi realizado a partir de entrevistas com psicanalistas, e o segundo, com métodos das neurociências. O reconhecimento do sucesso desse empreendimento por parte do conhecido filósofo da ciência e famigerado crítico da psicanálise, Adolf Grünbaum, mostra essa possibilidade de articulação sem prejuízos à ética da psicanálise. Uma leitura um pouco mais sutil mostra, entretanto, que – embora a articulação seja possível – existem algumas demandas de cientificidade que continuam a exercer grande tensão com o pensamento psicanalítico.

Tomando o experimento como exemplo, pode-se notar que os dois momentos (clínico e experimental) são radicalmente diferentes, principalmente em relação à posição dos pesquisadores. Se no primeiro momento os psicanalistas se colocam de modo a possibilitar uma situação clínica transferencial, o segundo momento demanda uma redução ao papel do pesquisador, diminuindo ao máximo as possibilidades de interferência. Assim, pode-se dizer que, ao menos nessa etapa experimental, haveria uma demanda de exclusão da subjetividade do pesquisador, fato que pode ser entendido como respondendo a esforços de produção de um conhecimento que possa ser generalizado e replicado em outros lugares e situações. Entretanto, e isso é central, a possibilidade de conjugação dos dois momentos desse estudo indica que, embora o pesquisador não possa se colocar enquanto sujeito dividido, por outro lado, o objeto pesquisado pode ser um sujeito dividido – e não há necessidade de negação desta divisão para que o experimento funcione.

Nesse sentido, há uma distância da clínica psicanalítica, na medida em que a figura do analista não pode ter sua subjetividade completamente retirada: mesmo que se possa defender uma retirada do analista enquanto sujeito no momento do tratamento (indicando seu posicionamento enquanto semblante, causa do desejo etc.), isso

194 CONCLUSÃO

não poderia ser sustentado em um segundo momento, focado na elaboração dessa experiência enquanto uma investigação. Esse funcionamento, portanto, não é completamente transponível para a experimentação, de modo que se pode realizar articulações, mas sempre com alguma perda. Parece, assim, que a clínica teria alguns recursos de investigação não possíveis nas ciências experimentais. É importante reconhecer esse limite (e, inclusive, poder delimitar com mais clareza quais seriam, na prática, esses pontos-limite), mas é igualmente valioso que as possibilidades de troca sejam exploradas.

Para além da experimentação enquanto instância da validação extraclínica, também se pôde apontar outros interesses nesse tipo de esforço – mais especificamente, a possibilidade de questionamento da teoria estabelecida e o reconhecimento de novos fenômenos que mostrem a insuficiência do conhecimento construído e façam o pensamento avançar. Desse modo, a indicada aproximação com o pensamento de Ian Hacking parece bastante interessante, por trazer contribuições ao modo de se sustentar essas articulações.

Ressaltamos a importância do valor político desse tipo de articulação, assim como os interesses epistemológicos. Participar de um debate povoado majoritariamente por defensores de práticas baseadas em ciências experimentais parece uma questão dificilmente contornável hoje, e fazê-lo a partir de um trajeto de estabelecimento de pontos comuns e articulações com o pensamento psicanalítico é essencial. Como dissemos no início, para jogar o jogo, é preciso sentar à mesa. Acreditamos que o percurso realizado neste estudo mostre um caminho importante para isso, não somente aparando algumas arestas e descartando alguns equívocos, mas indicando ativamente uma possibilidade. Embora, como apontado anteriormente, somente isso não seja suficiente para sentar à mesa, é um primeiro passo, essencial a qualquer outro avanço.

Isso não significa, contudo, que estejamos fazendo uma defesa das ciências experimentais, ou mesmo que afirmemos que este seja um modo superior de estabelecer o diálogo. Essa opção é interessante, como dissemos, por se tratar da articulação tradicionalmente mais problemática; de modo que, se podemos reconhecer alguns equívocos e fazer avançar o debate nesse campo específico, acreditamos que em outras áreas isto se dará com maior facilidade. Mas é extremamente necessário que o debate avance, também, nessas outras áreas, inclusive porque a conjugação de todos esses esforços pode produzir ganhos relevantes.

Por exemplo, a tensão existente entre o modo clínico de produção de conhecimento e o modo experimental é um tema de grande importância. Talvez um modo interessante de encaminhamento desse debate seja tomando a linguagem enquanto referência, partindo da noção de que a ciência funcionaria a partir do estabelecimento de uma linguagem biunívoca, enquanto a psicanálise trabalharia com uma linguagem permeada de equívocos. É um campo de grande complexidade, inclusive por avançar sobre questões de matemática e lógica – assim, há uma grande tradição de trabalhos realizados por autores como Alain Badiou, Barbara Cassin, Guy Le Gaufey, entre outros.

Além disso, reconhecemos autores que vêm trabalhando a articulação da psicanálise com outras disciplinas, seja enquanto validação, seja como modo de se pensar e fazer avançar a teoria a partir de fenômenos encontrados em outras tradições de pensamento. É o que vemos, por exemplo, em trabalhos de conjugação com a antropologia (Dunker, 2015) ou com a linguística (Beividas, 2000), esforços consistentes que permitem repensar a racionalidade psicanalítica a partir de pontos exteriores.

Além de trabalhos de articulação com outras teorias e de trabalhos de validação experimental de conceitos, também encontramos os empreendimentos de utilização da psicanálise para explicar fenômenos de difícil compreensão em outras áreas, como o efeito placebo (Brakel, 2007) – ponto em que há interessantes possibilidades de validação conceitual.

196 CONCLUSÃO

Existe, também, uma interessante produção de trabalhos de validação da clínica, como o estudo longitudinal realizado por Falk Leichsenring e Sven Rabung (2008), sobre a efetividade de terapias de longa duração. Nesse campo, também há possibilidades de validação experimental (da clínica), como aquela indicada por Shevrin e seus colegas no fim de seu estudo:

> *Uma direção futura nos levaria a desenhar uma investigação clínica. Esperaríamos que após tratamentos psicodinâmicos de sucesso, orientados pela noção de conflito, as mesmas palavras ligadas a conflitos inconscientes não teriam mais um efeito inibitório ampliado em alvos de sintoma consciente. Isso não seria mais necessário. (Shevrin et al., 2013, p. 9, tradução nossa)*

Ambas as propostas (de Leichsenring & Rabung e de Shevrin) demandam uma rigorosa análise, uma vez que um questionamento sobre a direção do tratamento se coloca imediatamente, ao se reconhecer certa indicação de redução de sintomas enquanto efetividade clínica. Nesse sentido, um interessante trabalho que interroga esse tipo de horizonte e se propõe a avançar no debate é o estudo realizado por Bueno e Pereira (2002), ao analisar a implantação de um serviço de psicanálise em um hospital universitário.

Em uma direção um pouco diferente, há, também, esforços de estabelecimento de métodos de validação a partir de questões provenientes diretamente do pensamento psicanalítico, como fazem Rassial e Pereira (2008) ao proporem um dispositivo originado na prática de supervisão (ou análise de controle) para tanto.

A realização deste breve e incompleto inventário de diferentes possibilidades de articulação entre psicanálise e ciência indica a amplitude e a complexidade do campo. Se considerarmos, ademais, que os resultados destes estudos seriam sempre pensados a partir de sua articulação com a clínica, além das possibilidades de articulação entre eles mesmos, o número de vias abertas é enorme. Por exemplo, qual seria o efeito da validação da efetividade da clínica psicanalítica para seu edifício conceitual? Uma efetividade clínica faz os conceitos mais confiáveis? Por outro lado, eventuais negativas teriam qual efeito? E a produção de eventos não previstos, teria qual valor?

Aqui, devemos fazer uma observação importante. Retomando o caminho traçado até agora, é fácil reconhecer que começamos com uma crítica a um modo lacaniano de abordagem do tema e apontamos como encaminhamento um estudo que traz a psicanálise em uma vertente freudiana. Isso não significa que um resolva o outro, ou mesmo que exista uma proximidade epistemológica entre Freud e Lacan. Por outro lado, o valor de tal caminho reside no fato de que, mesmo que haja pontos de ruptura, é inegável a centralidade do pensamento freudiano nos desenvolvimentos do psicanalista francês, de modo que esta articulação com ciências experimentais, mesmo que não possa ser generalizada, não deixa de indicar um caminho a ser explorado. Em especial, estudos que levem em consideração os avanços realizados no campo da linguística e que escapem a um entendimento de linguagem enquanto uma instância ideal, imaterial, seriam extremamente interessantes, justamente por demandarem outro entendimento da noção de evidência. Dessa forma, mostra-se necessária a realização de estudos mais específicos que tenham como base a epistemologia lacaniana, assim como de outros com base epistemológica freudiana, uma vez que estamos longe de qualquer tipo de resolução do tema. Entretanto, aqui estabelecemos um limite deste livro, que deixa isso enquanto possibilidade a ser desenvolvida. Mas, especificamente em relação à possibilidade de articulação entre os campos, o caminho realizado é efetivo e pode servir como gatilho para estudos posteriores. Talvez, inclusive, seja possível retomar o caminho traçado por Lacan em seu movimento

198 CONCLUSÃO

de aproximação e separação da teoria freudiana, tendo como horizonte esta articulação. Esta é uma das possibilidades, entre diversas outras que podem ser imaginadas e (esperamos que) realizadas.

Se conseguimos demonstrar a possibilidade de articulação da psicanálise com uma das vertentes mais empiristas do pensamento científico sem resultar num processo de assimilação ou colonização, existe também outro resultado ao qual chegamos a partir de nosso percurso de pesquisa: as articulações entre psicanálise e ciência se dão de modo tão diversificado e complexo que se faz necessária uma organização maior deste debate, de maneira que diferentes modalidades possam estabelecer diálogos, influências e, então, potencializar os avanços. Do mesmo modo como atualmente se pode reconhecer a existência de modalidades "locais" de filosofia da ciência (filosofia da ciência da biologia, filosofia da ciência da física, entre outras), indicamos fortemente uma organização mais ativa da disciplina da filosofia da ciência da psicanálise, de modo que os debates possam acontecer de maneira mais estável e potente.

Referências

Alberti, S., & Elia, L. (2008, setembro). Psicanálise e ciência: o encontro dos discursos. *Revista Mal-Estar e Subjetividade, 8*(3), 779-802.

Askofaré, S. (2005) *Politique, science et psychanalyse: de l'"aversion de la contingence" à une "politique du symptôme"*. Conferência realizada na Universidade Toulouse 2 – Le Mirail. Recuperado de http://w3.erc.univ-tlse2.fr/pdf/politique_science_psychanalyse.pdf.

Askofaré, S. (2013). *D'un discours l'autre: la science à l'épreuve de la psychanalyse*. Toulouse, France: Presses Universitaires du Mirail.

Assoun, P. L. (1983). *Introdução à epistemologia freudiana*. Rio de Janeiro: Imago.

Balat, M. (2000, printemps). Sur le pragmatisme de Pierce a l'usage des psychistes. *Les Cahiers Henri Ey, 1*, 83-95.

Bass, B. (2012). Discurso científico e discurso da ciência. *Curinga, 36*.

200 REFERÊNCIAS

Beividas, W. (2000). *Inconsciente et verbum: psicanálise, semiótica, ciência, estrutura*. São Paulo: Humanitas.

Brakel, L. (2007, Summer). The placebo effect: can psychoanalytic theory help explain the phenomenon? *American Imago, 64*(2), 273-281.

Brakel, L. (2015). Critique of Grünbaum's "Critique of psychoanalysis". In S. Boag, L. Brakel & V. Talvitie (Org.). *Philosophy, science, and psychoanalysis: a critical meeting* (pp. 59-72). London, England: Karnak Books.

Brakel, L., Kleinsorge, S., Snodgrass, M., & Shevrin, H. (2000, June). The primary process and the unconscious: experimental evidence supporting two psychoanalytic presuppositions. *International Journal Psychoanalysis, 81*, 553-569.

Bueno, D. S., & Pereira, M. E. C. (2002, maio). Sobre a situação analítica: a experiência de psicoterapia psicanalítica no hospital universitário da Unicamp. *Pulsional Revista de Psicanálise, XV*(157), 15-24.

Carvalho, S. M. (2011). *A psicanálise e o discurso da ciência* (Tese de Doutorado). Instituto de Psicologia, Universidade de São Paulo, São Paulo.

Dancy, J. (1985/1993). *Introducción a la epistemología contemporánea.* Madrid: Tecnos.

Davidovich, M. M., & Winograd, M. (2010). Psicanálise e neurociências: um mapa dos debates. *Psicologia em Estudo, 15*(4), 801-809.

Dor, J. (1988a). *L'a-scienficité de la psychanalyse: l'aliénation de la psychanalyse.* Paris: Editions Universitaires.

Dor, J. (1988b). *L'a-scientificité de la psychanalyse: la paradoxalité instauratrice.* Paris: Editions Universitaires.

Dosse, F. (1993). *História do estruturalismo* (Vol. 2). São Paulo: Ensaio.

Dunker, C. (2012). *Estrutura e constituição da clínica psicanalítica.* São Paulo: Annablume.

Dunker, C. (2013). *Psicanálise e ciência: do equívoco ao impasse.* Recuperado de http://psicanaliseautismoesaudepublica.wordpress.com/2013/04/16/psicanalise-e-ciencia-do-equivoco--ao-impasse/

Dunker, C. (2015). *Mal-estar, sofrimento e sintoma: uma psicopatologia do Brasil entre muros.* São Paulo: Boitempo.

Dunker, C., & Kyrillos, F., Neto (2011, dezembro). A crítica psicanalítica do DSM-IV: breve história do casamento psicopatológico entre psicanálise e psiquiatria. *Revista Latinoamericana de Psicopatologia Fundamental, 14*(4), 611-626.

Elia, L. (1999, janeiro-junho). Uma ciência sem coração. *Agora: Estudos em Teoria Psicanalítica, 2*(1), 41-53.

Erwin, E. (2015). Psychoanalysis and philosophy of science: basic evidence. In S. Boag, L. Brakel & V. Talvitie (Eds.). *Philosophy, science, and psychoanalysis: a critical meeting* (pp. 37-58). London: Karnak Books.

Faveret, B. M. S. (2006). Neurociências e psicanálise: há possibilidade de articulação?. *Psicologia Clínica, 18*(1), 15-26. Recuperado em 17 de janeiro de 2017, de http://pepsic.bvsalud.org/scielo.php?script=sci_arttext&pid=S0103-56652006000100002&lng=pt&tlng=pt.

Feyerabend, P. (1978/2003). *Contra o método.* São Paulo: Editora Unesp.

Freire, A. B. (1996). A verdade como causa. In A. B. Freire, F. L. Fernandes & N. S. Souza (Org.). *A ciência e a verdade: um comentário* (pp. 23-74). Rio de Janeiro: Revinter.

202 REFERÊNCIAS

Freire, A. B. (1997). *Por que os planetas não falam?* Rio de Janeiro: Revinter.

Freud, S. (1895/2016). *Obras completas: estudos sobre a histeria* (Vol. 2). São Paulo: Companhia das Letras.

Freud, S. (1917/2010). *Obras completas: uma dificuldade da psicanálise* (Vol. 14) (pp. 240-251). São Paulo: Companhia das Letras.

Freud, S. (1927/2014). *Obras completas: o futuro de uma ilusão* (Vol. 17) (pp. 231-301). São Paulo: Companhia das Letras.

Freud, S. (1930/2010). *Obras completas: o mal-estar na civilização* (Vol. 18) (pp. 13-123). São Paulo: Companhia das Letras.

Freud, S. (1933/2010). *Obras completas: acerca de uma visão de mundo* (Vol. 18) (pp. 321-354). São Paulo: Companhia das Letras.

Gaufey, G. le (2001, no prelo). *A incompletude do simbólico: de René Descartes a Jacques Lacan.* Campinas: Unicamp.

Gault, J.-L. (2015). O nascimento da ciência moderna: uma leitura de "A ciência e a verdade". *Arquivos Brasileiros de Psicologia, 67*(2), 156-161.

Gonçalvez, A. M. N., Dantas, C. de R., & Banzato, C. E. M. (2015, março). Valores conflitantes na produção do DSM-5: o "caso" da síndrome psicótica atenuada. *Revista Latinoamericana de Psicopatologia Fundamental, 18*(1), 139-151.

Granger, G. G. (1960/1967). *Pensée formelle et sciences de l'homme.* Paris: Harmattan.

Granger, G. G. (1993). *A ciência e as ciências.* São Paulo: Editora Unesp.

Grünbaum, A. (1984). *The foundations of psychoanalysis: a philosophical critique.* Oakland, CA: University of California Press.

Grünbaum, A. (2015). Critique of psychoanalysis. In S. Boag, L. Brakel & V. Talvitie. *Philosophy, science, and psychoanalysis: a critical meeting* (pp. 1-36). London: Karnak Books.

Hacking, I. (1983/2012). *Representar e intervir: tópicos introdutórios de filosofia da ciência natural.* Rio de Janeiro: EdUERJ.

Hacking, I. (2012). Introdução à edição brasileira. In I. Hacking, *Representar e intervir: tópicos introdutórios de filosofia da ciência natural* (pp. 39-50). Rio de Janeiro: EdUERJ.

Hans, L. A. (2000). Terapias sob suspeita: a psicanálise no século XXI. In R. A. Pacheco Filho, N. Coelho Jr. & M. D. Rosa (Orgs.). *Ciência, pesquisa, representação e realidade em psicanálise* (pp. 175-204). São Paulo: Casa do Psicólogo.

Iannini, G. (2007, janeiro-julho). Psicanálise, ciência êxtima. *Epistemo-Somática*, 4(1), 69-79.

Iannini, G. (2012). *Estilo e verdade em Jacques Lacan.* Rio de Janeiro: Autêntica.

Insel, T. (2013). *Director's blog: transforming diagnosis.* Recuperado de http://www.nimh.nih.gov/about/director/2013/transforming-diagnosis.shtml.

Japiassu, H. (1989/1998). *Psicanálise: ciência ou contraciência?* Rio de Janeiro: Imago.

Keller, E. F. (2005). *Expliquer la vie: modèles, métaphores et machines en biologie du développement.* Paris: Gallimard.

Koyré, A. (1957/2006). *Do mundo fechado ao universo infinito.* São Paulo: Forense Universitária.

Koyré, A. (1965/1985). *Études newtoniennes.* Paris: Gallimard.

Koyré, A. (1966/2011). *Estudos de história do pensamento científico.* São Paulo: Forense Universitária.

204 REFERÊNCIAS

Kuhn, T. (1962/2013). *A estrutura das revoluções científicas.* São Paulo: Perspectiva.

Kupfer, C. (2013). Prefácio. In C. Dunker, *A psicose na criança: tempo, linguagem e sujeito* (pp. 9-17). São Paulo: Zagodoni.

Lacan, J. (1936/1998). Para-além do "Princípio de realidade". In J. Lacan, *Escritos* (pp. 77-95). São Paulo: Jorge Zahar.

Lacan, J. (1946/1998). Formulações sobre a causalidade psíquica. In J. Lacan, *Escritos* (pp. 152-196). São Paulo: Jorge Zahar.

Lacan, J. (1948/1998). A agressividade em psicanálise. In J. Lacan, *Escritos* (pp. 104-126). São Paulo: Jorge Zahar.

Lacan, J. (1953/1998). Função e campo da fala e da linguagem em psicanálise. In J. Lacan, *Escritos* (pp. 238-324). São Paulo: Jorge Zahar.

Lacan, J. (1964/1973). *Le séminaire: les quatre concepts fondamentaux de psychanalyse* (Vol. 11). Paris: Seuil.

Lacan, J. (1966/1998). A ciência e a verdade. In J. Lacan, *Escritos* (pp. 869-892). São Paulo: Jorge Zahar.

Lacan, J. (1969-1970/1992). *O seminário: o avesso da psicanálise* (Vol. 17). Rio de Janeiro: Jorge Zahar.

Lacan, J. (1971-1972) *Le séminaire: le savoir du psychanalyste* (Vol. 19). Recuperado de http://www.valas.fr/Jacques-Lacan--Ou-Pire-et-Le-savoir-du-psychanalyste-1971-1972,285.

Lacan, J. (1973/2003). O aturdito. In J. Lacan, *Outros escritos* (pp. 448-497). Rio de Janeiro: Jorge Zahar.

Lacan, J. (1974/2001). Télévision. In J. Lacan, *Autres écrits* (pp. 508-543). Paris: Seuil.

Leichsenring, F., & Ranbung, S. (2008, October). Effectiveness of long-term psychodynamic psychotherapy: a meta-analysis. *JAMA, 300*(13), 1551-1565.

Manso de Barros, R. M. (2012). A psicanálise e sua inserção no discurso da ciência. In T. C. dos Santos, J. Santiago & A. Martello (Org.). *De que real se trata na clínica psicanalítica?: psicanálise, ciência e discurso da ciência* (pp. 81-108). Rio de Janeiro: Cia. de Freud.

Mendonça, J. (2012). Apresentação. In I. Hacking, *Representar e intervir: tópicos introdutórios de filosofia da ciência natural* (pp. 7-38). Rio de Janeiro: EdUERJ.

Mezan, R. (2006, junho). Pesquisa em psicanálise: algumas reflexões. *Jornal de Psicanálise, 39*(70), 227-241.

Milner, J.-C. (1996). *A obra clara.* Rio de Janeiro: Zahar.

Milner, J.-C. (2010). Linguística e psicanálise. *Estudos Lacanianos, 3*(4).

Pereira, M. E. C. (1996). Questões preliminares para um debate entre a psicanálise e a psiquiatria no campo da psicopatologia. *Pesquisa em Psicanálise – Coletâneas da ANPEPP (Associação Nacional Pesquisa e Pós-Graduação em Psicologia), 1,* 43-53.

Pereira, M. E. C. (2000). A paixão nos tempos do DSM: sobre o recorte operacional do campo da psicopatologia. In R. A. Pacheco Filho, N. Coelho Jr. & M. D. Rosa (Org.). *Ciência, pesquisa, representação e realidade em psicanálise* (pp. 119-152). São Paulo: Casa do Psicólogo.

Pommier, G. (2004). *Comment les neurosciences démontrent la psychanalyse.* Paris: Flammarion.

Prigogine, I. (2011). *O fim das certezas: tempo, caos e as leis da natureza.* São Paulo: Editora Unesp.

206 REFERÊNCIAS

Prochiantz, A. (2012). *Qu'est-ce que le vivant?* Paris: Seuil.

Rabinovich, N. (2010). El nombre del padre: articulación entre la letra la ley y el goce. *Revista Trivium: Estudos Interdisciplinares, II*, ed. 2, 432-443. Recuperado de https://www.uva.br/trivium/edicoes/edicao-ii-ano-ii/artigos-tematicos/5-el-nombre-del-padre-articulacion-entre-la-letra-la-ley-y-el-goce.pdf.

Rassial, J.-J., & Pereira, M. E. C. (2008). Questions épistémologiques et méthodologiques sur la validation en psychanalyse. *Psychologie Française, 53,* 71-80.

Rheinberger, H.-J. (2014). *Introduction à la philosophie des sciences.* Paris: La Découverte.

Safouan, M. (2013). *La psychanalyse: science, thérapie – et cause.* Paris: Thierry Marchaisse Editions.

Santos, T. C. dos (2012). Existe uma nova doutrina da ciência na psicanálise de orientação lacaniana? In T. C. dos Santos, J. Santiago & A. Martello (Orgs.). *De que real se trata na clínica psicanalítica?: psicanálise, ciência e discursos da ciência* (pp. 35-62). Rio de Janeiro: Cia. de Freud.

Shevrin, H., & Fritzler, D. (1968). Visual evoked response correlates of unconscious mental processes. *Science, 161,* 295-298.

Shevrin, H., & Luborsky, L. (1961, December). The rebus technique: a method for studying primary-process transformations of briefly exposed pictures. *The Journal of Mental and Nervous Disease, 133,* 479-488.

Shevrin H., Snodgrass M., Abelson J., Brakel L., Kushwaha R., Briggs H. (2010). Evidence for unconscious, perceptual avoidance in phobic fear. *Biol. Psychiatry, 67,* 33S. Recuperado de http://www.biologicalpsychiatryjournal.com/article/S0006-3223(10)00235-0/pdf.

Shevrin, H., Snodgrass, M., Brakel, L., Kushwaha, R., Kalaida, N., & Bazan, A. (2013, September). Subliminal unconscious conflict alpha power inhibits supraliminal conscious symptom experience. *Frontiers in Human Neuroscience, 7*, 544.

Shevrin, H., Williams, W. J., Marshall, R. E., Hertel, R. K., Bond, J. A., & Brakel, L. A. (1992). Event-related potential indicators of the dynamic unconscious. *Consciousness and Cognition, 1*, 340-366.

Silva, N., Jr. (2000, junho). Metodologia psicopatológica e ética em psicanálise: o princípio da alteridade hermética. *Revista Latino-americana de Psicopatologia Fundamental, 3*(2), 129-138.

Snodgrass, M., Shevrin, H., & Kopka, M. (1993a). The mediation of intentional judgments by unconscious perceptions: the influences of task strategy, task preference, word meaning, and motivation. *Consciousness and Cognition, 2*, 169-193.

Snodgrass, M., Shevrin, H., & Kopka, M. (1993b). Absolute inhibition is incompatible with conscious perception. *Consciousness and cognition, 2*, 204-209.

Winograd, M. (2004). Matéria pensante: a fertilidade do encontro entre psicanálise e neurociência. *Arquivos Brasileiros de Psicologia, 56*(1), 20-33.

Yakira, E. (1994). *La causalité: de Galilée à Kant.* Paris: Presses Universitaires de France.

Impressão e Acabamento

Bartiragráfica

(011) 4393-2911